Sonner
Die Bibliothek des Attentäters

Franz-Maria Sonner

DIE BIBLIOTHEK DES ATTENTÄTERS

Roman

Verlag Antje Kunstmann

Für Josef Rölz (†1993)

Und jetzt sitze ich beim Frühstück, trinke Tee, gucke dabei in diese alberne Tasse, von deren Boden mich eine Kuh anschaut, esse Toast mit Honig und lese Zeitung, wie ich es schon immer gemacht habe. Trotzdem ist alles nicht mehr wie früher. Meine Perspektive hat sich verändert, ich sehe alles von seiner guten Seite. Das Leben ist schön. Ich kann das so sagen, weil ich knapp am Tod vorbeigeschrammt bin. Geblieben sind Probleme minderer Art. Mein Zimmer ist immer noch verwüstet. Aber das stört mich nicht, ich bin entschlossen, auch daraus das Beste zu machen. Es ist eine Chance, aufzuräumen und eine neue Ordnung in mein Leben zu bringen, als Enddreißiger hat man dazu noch eine reelle Chance. Ich räume mein Frühstücksgeschirr beiseite. Ich hole mir eine Rolle mit großen, blauen Plastiksäcken aus dem Schrank. Ich werde mich bei dieser Gelegenheit von allem Überflüssigen trennen. Nun gehe ich hinüber in mein Zimmer. Am Boden ein Papierberg, obenauf liegen die herausgerissenen Schubladen. Wo man dieses Chaos zu lichten beginnt, ist egal. Aber schon nach kurzer Zeit fische ich aus einem Stapel Jakobs verloren geglaubtes Manuskript. *Attentat.*

Marco Sentenza, Dezember 1998

I. Damals

Meine Notizen die Aufzeichnungen eines Attentäters? Lächerlich, gleich wieder durchstreichen, wird das hier nie! Wir haben uns zum zweiten Mal getroffen und wieder lange diskutiert. Gerade sind sie weggegangen. Die Kluft ist zu groß. Wehre mich zwar nicht gegen ihre Einschätzung zur Notwendigkeit des bewaffneten Kampfes. Irgendwann muß die Machtfrage auf die Tagesordnung gesetzt werden. Jeder weiß das. Auch der oder der wird nach der Revolution an die Wand gestellt. Ein lockerer Spruch, lachend, abends, beim Bier – oft gehört. In der Kneipe traut man sich. Aber wie geht das, das System mit einem bestimmten Menschen zu identifizieren, den ich abschieße? Arschloch, Schwein – ja, Agent – gut! Trotzdem hat er Kinder, liebt irgendeine Frau oder auch nur ein paar Dinge des Lebens, schenkt seiner Mutter Blumen zum Geburtstag. Wie wir auch. Deshalb darf man nur seine ganz persönliche Verantwortlichkeit in Betracht ziehen. Was hat er getan? Welche Schuld hat er auf sich geladen? Nur darüber darf man richten. Das ist kein bürgerlicher Individualismus, dazu stehe ich. Militarisierung der Politik, die NATO formiert sich – okay. Mit antiimperialistischem Kampf dagegenhalten, einverstanden, da haben wir keine Differenz. Was mich irritiert, ist, daß er ständig mit seiner Pistole spielt. Seiner Knarre! Stellt seine Illegalität als Verliebtheit zur Schau. Mein Verhältnis zur Waffe? Ein Werkzeug bestenfalls. Seine Begleiterin bleibt stets konzentriert bei der Diskussion. Das System direkt in seinen Repräsentanten angreifen, fordert sie. Militärs, Kapitalisten. Seine Verwundbarkeit aufzeigen. Seine Schwäche. Gut, aber wo bleibt die soziale Frage? Und die Suche nach einem neuen, freien Leben? Wenn ich den Kontakt zum Leben verliere, wie soll ich da kämpfen können? Nein, habe ich gesagt, ihr müßt das ohne mich tun, ich kann das nicht. Er hat gesagt: Kleinbürgerlicher Wichser!, hat die Knarre in den Hosenbund geschoben; sie hat gesagt: Überleg dir das noch.

1. Fliegende Babyputen

Jakobs Wohnung war ausgekühlt. Zwei Tage Durchheizen genügten nicht, um die Kälte zu vertreiben. Jakob machte sich einen Kaffee, setzte sich nah an den Ofen heran, der langsam warm wurde, und legte die Beine hoch. Am Silvestertag war er von einer Recherchereise zurückgekommen. Heiner Doerenbach, Redakteur beim Hessischen Rundfunk, hatte ihn losgeschickt. Es gebe Gerüchte, daß Konrad Bärloch, der alte Terroristenjäger, Leiter der Sonderkommission Terroraufklärung, seinen Abschied nehmen würde.

Jakob Amon war Filmemacher. Sein Anspruch richtete sich auf Dokumentarisches: die Wirklichkeit abbilden, wie sie ist. Im Augenscheinlichen mußte eine ebenso augenscheinliche Wahrheit liegen, dort mußten sich die Widersprüche, Aufwerfungen und Verdrehungen auch einfangen lassen. Die Kamera auf die Wirklichkeit draufhalten, hieß es. Der Kommentar, das Interview waren Hilfskonstruktionen, notwendige Raffungen, weil einem niemals die Zeit und das Geld zugestanden wurden, um den anderen, wirklich materialistischen Weg zu gehen. Aber Jakob war ein kleines Licht, die großen Sachen machten andere. Einige Redakteure, wie Heiner Doerenbach vom Hessischen Rundfunk, versorgten Jakob mit Aufträgen.

Jakob war dankbar, auf Recherchereise gehen zu können. Weihnachten war eine Katastrophe gewesen, von der er Abstand gewinnen wollte. Er hatte sich von Maja, einer alten Bekannten, dazu überreden lassen, bei ihr zu feiern. Es werde ein bißchen familiär, hatte sie ihn gewarnt. Ihr zwölfjähriger Sohn sei da, abends zum Essen, für etwa zwei Stunden, würden sie ihre Mutter aus dem Altersheim holen. Ob er das überhaupt wolle? Jakob hatte keine Pläne gemacht, allein zu bleiben würde fürchterlich werden, also sagte er zu und war fest entschlossen, mit Maja und ihrer Familie einen angenehmen Tag zu verbringen. Er sei, so dachte er, inzwischen souverän genug, die Festtagssituation, die ihn früher so stranguliert und gegen die er sich stets zur Wehr gesetzt hatte, gelassen zu ertragen. Am Vierundzwanzigsten war er mittags pünktlich angetreten. Geschniegelt und gebügelt, wie Maja lachend anmerkte, und mit Geschenken in der Hand. Der Nachmittag verlief harmonisch, sie tranken Kaffee, aßen Plätzchen und machten Spiele. Später kam noch Birnenschnaps auf den

Tisch. Im Hintergrund dudelte das Radio Weihnachtsweisen. Maja hatte ein paar Tannenzweige drapiert, Kerzen daran gemacht. Später, gegen Abend, hatte Jakob dann schon einige Birnenschnäpse intus, und seine Stimmung kippte. Plötzlich spürte er einen Überdruß an den Gefühlen, die so falsch und pappig wie Türkischer Honig waren. Er setzte sich an das Radio und ging auf Sendersuche. Irgendwo würden sicher die Geschichten von Heinrich Waggerl gelesen. Die putzige Erzählung, wo das Christkind diesem Neger weiße Handflächen schenkte. Wenn sonst schon alles schwarz und verkaffert bleiben mußte. Der Junge lachte, Maja blickte besorgt auf ihn. In der Tat hatte Jakob zum Sturzflug angesetzt und wollte sich auch noch den Rest geben. Maja sagte, sie fahre nun mit ihrem Sohn in die Stadt, um ihre Mutter zu holen. In der Zwischenzeit werde er sich schon wieder einkriegen, hoffte sie. Sie bat ihn, in ihrer Abwesenheit die beiden Babyputen im Rohr zu begießen. Dann gingen sie, und Jakob widmete sich ganz der Flasche Williamine. Ab und zu ging er in die Küche, guckte zuerst durch die gläserne Herdklappe ins Rohr, zog dann den Bräter mit einer Hand heraus, hielt in der anderen die Flasche Schnaps, Daumen obendrauf, und machte so die zwei *Babies* mit Schnaps naß. Anschließend kickte er die Ofenklappe mit dem Fuß zu. Aber es wurde ihm nicht wirklich leichter, im Gegenteil, in ihm kam eine unbändige Wut gegen dieses *scheißverlogene Weihnachten* hoch. Er setzte sich wieder ans Radio, um Heinrich Waggerl und die Negergeschichte zu suchen. Fand sie wieder nicht und suchte daher das Regal ab, sicher hatten die das irgendwo stehen und wollten es vor ihm nur nicht zugeben. Aber auch dort war nichts. Also trat er auf den Balkon hinaus. Gegenüber im Hinterhaus hatte eine Familie die Kerzen auf dem Weihnachtsbaum angezündet. Volle Dröhnung, murmelte Jakob vor sich hin. Plötzlich nahm eine verwegene, ihm unheimlich witzig erscheinende Idee zwingend Gestalt an. Was würde das für eine Überraschung für diese *Semmelings* dort drüben und ihre *Kinderlein-kommet* sein, wenn das Christkind in Gestalt *nackiger*, halbgebratener Babyputen an das Fenster klopfte. Gesagt, getan.

Jakob zerrte die Puten aus dem Ofen, zog seine Handschuhe an, weil die Tiere zu heiß waren, und warf die erste nach gegenüber. Sie klatschte gegen die Fensterscheibe, fiel auf das Sims und dann in den Hof hinunter. Da sich nichts rührte, schickte Jakob gleich die zweite hinterher. Nun wurde das Fenster geöffnet, und eine ältere Frau rief Hallo! Hallo! Ist hier jemand? in den Hof hinunter, als habe es an der Tür geklopft. Dabei konnte man zusehen, wie das Fett an der Fensterscheibe milchig gerann. Eigentlich hatte Jakob jetzt rufen wollen: Herzliche Grüße vom Christkind!, aber durch den Anblick der alten Frau war seine Hochstimmung jäh in Depression umgeschlagen. In heulendes Elend sogar. Was hatte er nur getan? Zittrig braute er sich einen Nescafé, der Pferde wach gemacht hätte. Da ging die Tür auf, huhu! rief Maja und führte ihre Mutter herein. Die alte Dame ging gebeugt, ihr weißes Haar war sorgfältig für diesen Abend gelegt. Ein Frostschauer fuhr Jakob wie ein Stromschlag durch den Leib. Er krümmte sich fast. Krank, aus, am Ende, sofort einliefern! dachte er. Zu Tisch, rief Maja und ging in die Küche. Jakob folgte ihr. Es gab nichts zu erklären, auch nichts zu sagen. Was abgelaufen war, war ein Mechanismus, dem zufolge immer erst das maximale Unglück stattfinden mußte, bevor Jakob wieder zu sich kam, wenn er einmal die Kontrolle über sich verloren hatte. Maja sah die offene Ofenklappe, am Boden die fettverschmierten Handschuhe, dann schossen ihr die Tränen in die Augen. Sie fragte nichts, trat vor ihn hin, schlug ihn links und rechts ins Gesicht, stieß ihn zur Tür hinaus und warf seinen Mantel hinterher. Jakob hätte noch viel mehr angenommen. Er zog sich an, ging los, warf zuerst im Hof die Puten in die Tonne und klapperte dann mit dem Taxi einige Lokale ab, bis er endlich eine große Schale Pute süßsauer aufgetrieben hatte, die dem ursprünglichen Gericht noch am nächsten kam. Er stellte sie vor die Türe und klingelte von unten, so daß er Maja nicht noch einmal unter die Augen treten mußte.

Später unternahm er keine bemühten Erklärungsversuche, sondern schrieb einen Brief. Jakob wollte ohne Ausflüchte und Umschweife die Verantwortung für das Geschehene auf sich nehmen. Er solle sich verpissen, antwortete Maja, er habe sich wie ein Kampfstier mit nicht umkehrbaren Reflexen verhalten.

Trotz des bullernden Ölofens blieben die Füße kalt. Jakob streifte sich dicke Socken über und goß sich noch einen Kaffee ein. Für einen Montagmorgen war es sehr ruhig. An Silvester war Endzeitstimmung ausgebrochen, alle hatten wie toll gefeiert. Jetzt hatte ein ganz normales Jahr begonnen, aber niemand wollte in den Alltag zurück. Jakob war am Jahreswechsel zu Hause geblieben, hatte gelesen und Wein getrunken. Bloß keine Feiern mehr! Draußen waren Straßenkehrer am Werk. Auf den Gehsteigen und Straßen lagen die abgebrannten Feuerwerkskörper. Dazu Sekt- und Schnapsflaschen, manche auf dem Pflaster zerschellt, Scherbenhaufen, aus denen grüne Flaschenhälse mit zugeschraubtem Verschluß ragten. Die Kantstraße, die geradewegs auf Jakobs Wohnung zulief, war mit Blutspritzern markiert. Ein Besoffener hatte in der Nacht versucht, in die Wohnung seiner Freundin einzudringen. Er hatte, um an die Klinke zu kommen, die Glasscheibe der Haustüre mit einem Ellbogencheck eingeschlagen und sich den Arm aufgeschnitten.

– Verpiß dich, du geile Ratte! schrie sie aus dem Fenster und schlug es zu.

– Ich hol dich raus, du Nutte! brüllte er zurück.

Jakob fuhr hoch. Alle gucken wahrscheinlich nur zu, aber niemand unternimmt etwas. Allenfalls wird die Polizei verständigt. Wenn sie dann eintrifft, zeigen sich die empörten Bürger.

Jetzt rief die Frau um Hilfe. Jakob holte aus dem Hof einen Spaten und trat auf den Balkon hinaus. Der Betrunkene versuchte das Fenstersims zu erklimmen.

– Hau ab! Oder ich schlag dir den Schädel ein.

Daraufhin trollte er sich krakeelend und fluchend, wankte die Kantstraße hinunter. Das Blut troff ihm vom Arm, wegwerfend schlug er es immer wieder ab, so daß es aufs Pflaster klitschte.

Ungeniert schauten die Straßenkehrer durchs Fenster. Jakob wohnte im Parterre und hatte noch nie Gardinen besessen. Statt dessen hatte er das Plakat *Zappa auf dem Klo* an die Wand gehängt, unübersehbar für jeden, der hineinstierte. Für die armen Schweine da draußen begann das Jahr sowieso beschissen, dachte Jakob. Neujahr fiel auf einen Sonntag, und am Montag gleich verschärfter Dienst mit Aufräumarbeiten.

Von hinten aus der Kantstraße kam Fritz. Eigentlich hatte er schon gestern vorbeischauen wollen. Aber Fritz nahm solche Versprechungen immer nur als vagen Hinweis. Die Lederjacke lag so eng an seinem ausladenden Leib wie eine Wurstpelle. Um den Hals hatte er mehrfach einen roten Wollschal geschlungen. Er hatte eine Zeitung unter den Arm geklemmt.

– Entschuldige, sagte Fritz, als er sich aus seiner Jacke schälte, aber gestern war ich noch platt. Konnte mich nicht rühren. So eine Birne!

Fritz deutete einen ballonartig aufgeblähten Kopf an.

– Hast du einen Kaffee für mich?

Jakob brachte ihm eine Tasse.

– Seit wann liest du die FAZ?

Fritz hatte sie neben seine Sachen auf den Boden geworfen.

– Seit heute drucken sie *Nineteen Eighty-Four*. Eine neue Übersetzung, rechtzeitig zum Orwell-Jahr. Da wollte ich mal reingucken. Warum bist du nicht zum Fest gekommen?

Jakob zuckte die Achseln.

– Keine Lust. Wie war es denn?

– Das Übliche, sagte Fritz. Zuerst das ewige Gelabere und Klugscheißen. Aber dann wurde noch ganz munter *geshaked*.

Fritz deutete Tanzbewegungen an. Jakob musterte ihn. Er fühlte sich von ihm angezogen und abgestoßen zugleich. Fritz war das genaue Gegenteil von ihm. In Diskussionen hatte Fritz nicht viel zu melden. Stumm saß er in seiner Lederjacke da, und man hatte den Eindruck, daß er immer mehr Haß in sich hineinschaufelte, je länger geredet und diskutiert wurde. Er wollte handeln.

– Jede körperliche Aktion hat ihre eigene Gesetze, sagte Fritz. Wenn du mal drauf bist, dann läuft das wie von selbst. Wie beim Essen oder beim Ficken. Du merkst schon, wann Schluß ist.

Jakob fand diese Haltung widerlich. Aber bewundernswert war, wie Fritz kämpfte. Ein *Streetfighter.* Er wußte instinktiv, woher der Gegner kommen würde, wo Gefahr lauerte, wie man an Wurfgeschosse kam. Fritz rauchte viel und soff. Aber bei solchen Gelegenheiten war er *fit wie Mungo.* Wieselflink und zupackend. Jakob blieb bei Aktionen gehemmt. Jedes Schrittchen war mit Skrupeln überfrachtet und von widerstreitenden Gedanken vergiftet. Nie gab es ein lockeres Durchziehen, immer nur Krampf. Darf man einem Bullen eins die Fresse hauen? Nein, nur aus Notwehr! Sich erst mal selbst eine verpassen lassen. Wie bekam einer wie *Che Guevara* dieses souveräne Ausbalancieren von Intellekt und Gewalt hin? Ein freier Mensch, der sich der Gewalt nur als Mittel bedient. Den sie nicht ergreift! Seinen ersten Stein hatte Jakob bei einer Demonstration in Kreuzberg geworfen. Er hielt diesen ersten Stein wie einen Fremdkörper in der Hand. Als ob ihm etwas Ungutes angewachsen wäre. Als dann ein gepanzerter Wagen auftauchte, warf er. Und verrenkte sich das Schultergelenk, weil er zuviel wollte. Abends war er stolz. Nachts schlief er miserabel, und morgens durchfilzte er mehrere Zeitungen, ob es Verletzte oder Tote auf Seiten der Polizei gegeben hatte.

– Und? fragte Fritz. Hast du etwas herausbekommen wegen Bärloch?

– Bärloch war einmal, antwortete Jakob, er wird abtreten müssen.

Das ist so einer, nicht nur Repräsentant, sondern auch Täter: Karmann. Ist heute noch im blutigen Corps Borussia wie auch der Ministerpräsident. Karmann ist sein Fuchsmajor. Die Narbe an seiner Stirn: ein Schmiß. Vor allem aber ein Nazi! Als Student zuerst Kriecher, dann Scharfmacher. Hat seinen Rektor angeschwärzt. Fehlende völkische Gesinnung. Kranker Liberalismus. Geradeaus zur SS. Stand an der Spitze des Zentralverbandes der Industrie von Böhmen und Mähren, um die Erzeugungschlacht gewinnen zu helfen. War dann bei der deutschen Kapitulation SS-Kommandant in der Tschechoslowakei und hat dort ohne Not an die sechzig Geiseln niedermetzeln lassen. Wehrlose, noch nicht mal Partisanen. Das muß öffentlich gemacht werden. Habe Heiner Doerenbach angerufen. Ihm einen Filmbeitrag über Karmann angeboten. Doerenbach überlegt. Was, bitte, gibt es da zu überlegen? Aber Doerenbach ist eben ein Salonlinker. Reißt die Klappe auf, aber wenn es gilt, zieht er den Schwanz ein. Karmann soll hier in der Nähe wohnen, in Bad Homburg. In einer Villa.

2. Volksgefängnis

– Ich gehöre doch zu den meistgefährdeten Personen in dieser Republik, sagte Bärloch zu Innenminister Zweigelt, seinem Dienstherrn, dem Brutus, der seine Entlassung betrieben und ihm den Dolch in den Rücken gestoßen hatte. Bärloch hatte sein Entlassungsgesuch für ein starkes Argument in der Auseinandersetzung um mehr Geld, mehr Planstellen und mehr Einfluß gehalten. Aber Zweigelt hatte es sofort angenommen. Der neue Bundeskanzler empfing ihn nicht, und Gleitkow, der frühere Innenminister, sein Mentor, schrieb ihm einen freundlich-nichtssagenden Brief. Konrad Bärloch war nicht mehr sein Mann. Bärloch war grau im Gesicht, hatte Schweiß auf der Stirn, der sein Haar festkleben ließ.

Die ganze Nacht hatte er in seinem Büro verbracht. Seinem ehemaligen Büro! Aber zu dieser Haltung führte kein Weg. Zwar wallte immer wieder Trotz in ihm auf, sollten sie nur, sie würden schon sehen, dann aber waren es vor allem die kleinen Dinge, die seinen

Beharrungswillen anstachelten: der Moriskentänzer aus Porzellan auf seinem Schreibtisch, eine Spieluhr mit Loreley, die ausgestopfte Tatze eines Grizzlybären, ein Paar vergoldeter Handschellen und Ehrennadeln, die, auf schwarzen Samt gesteckt, an der Wand hingen. Alles meines, dachte Bärloch, und die Vorstellung, die Schlüssel abgeben zu müssen, erschien ihm einfach absurd. So zerrieb er sich zwischen Trotz und Beleidigtsein, bis sich dann im Morgengrauen der Satz: Man muß Maßnahmen ergreifen! in sein Hirn eingrub. Er hatte gegen jeden von ihnen etwas in der Hand. Der Bundeskanzler war in die Flick-Spendenaffäre verwickelt. Sie hatten ihm ein Kuvert zugesteckt. Noch leugnete er. Gleitkow war mit Bierling, dem Bäderkönig, befreundet und hatte von ihm einen großzügigen Kredit erhalten. Bis auf weiteres nicht rückzahlbar. Und Zweigelt war immer in Schwarz gekleidet. Bärloch wußte, warum. Weil es ihn schlanker machte. Zweigelt hatte keulenförmige Oberschenkel, schlapp, ohne Muskeln. Auf dem Photo, das Bärloch von ihm hatte, stand er mit heruntergelassenen Hosen zwischen den gespreizten Schenkeln einer nackten Frau, die auf dem Schreibtisch lag.

– Verdammte Scheiße, hatte er den grinsenden Rost vom Personenschutz angeherrscht, Sie sollen den Innenminister abschirmen, nicht bespitzeln!

Dann nahm er Positiv und Negativ an sich und verwahrte sie in seinem Giftschrank. Er würde, so dachte Bärloch im Morgengrauen, das Photo aus seiner Brieftasche nehmen, es Zweigelt vorlegen und fragen: Und das? Kann ich das auch meinem Nachfolger übergeben? So ging es hin und her in seinem Kopf, Bärloch lag in seinem Bürostuhl, der sich nach hinten kippen ließ, und hatte die Beine auf dem Schreibtisch. Um acht Uhr kam Frau Rose und bereitete ihm Kaffee, stark, schwarz, der seinen Herzschlag jäh auf ein höheres Niveau beförderte. Bärloch tupfte den Schweiß von der Stirn, dabei war es kühl in seinem Büro, er hatte den Heizkörper abgedreht. Eine Stunde später stand er vor Zweigelt. Es genügte, ihm ins Gesicht zu sehen, und schon war klar, daß es keinen Weg mehr zurück ins Amt gab. Diesen Wunsch auch nur anzudeuten, wäre eine Demütigung. Es ging um einen ehrenvollen Abschied.

Daher sagte Bärloch: Ich gehöre doch zu den meistgefährdeten Personen in dieser Republik!

– Daraus folgt? fragte Zweigelt. Mit zwei Fingern fuhr er langsam seine rechte Ohrmuschel nach und strich dabei beiläufig das dichte, gewellte Haar nach hinten. Eine Bewegung, die anmutig und grüblerisch zugleich wirkte. Ein Schöngeist als Innenminister – aus diesem Gegensatz bezog Zweigelt seine besondere Ausstrahlung.

– Personenschutz, sagte Bärloch. Eine gesicherte Dienstwohnung. Entschädigungen für besonderen Aufwand. Wie in den letzten fünfzehn Jahren auch. Die schießen mich sonst ab. Seit Jahren warten sie nur darauf, mich abzuschießen. Wie sie Buback abgeschossen haben.

Er suchte bei Zweigelt nach einer Schwachstelle. An den Graphikcomputern, wo Spezialisten nach Personenbeschreibungen Haare, Nasen, Augenpartien und Münder zusammensetzten und retuschierten, um Phantombilder zu erstellen, hätte sich Bärloch zu helfen gewußt. Wie einen Skalp würde er Zweigelts dichte Dirigentenmähne abziehen und ihm die dünnen, ölig nach hinten gelegten Fransen auflegen, die ihm zustanden, wenn die Natur Gerechtigkeit walten ließe. Das wäre ausreichend, um Zweigelt als den aalglatten, verschlagenen Intriganten wirken zu lassen, der er war.

Aber vielleicht konnte man ihn argumentativ aushebeln. Oder sonst wie. Bärloch starrte auf den Hosenschlitz des Ministers. Er trug wie immer Schwarz. Als sich Zweigelt zur Seite drehte, glaubte er ein Urintröpfchen glitzern zu sehen. Später meinte er, einen hellen Fleck erkennen zu können. Wie einen Tropfen eingetrockneter Milch. Dann aber verwirbelte sich der helle Fleck mit der dunklen Hose: Trug er Pepita? Bärloch befeuchtete seine Lippen, dachte, Scheiße, ich bin übernächtigt. Also blieb ihm nur das Photo.

– Bärloch, Sie haben sich große Verdienste in der Terrorbekämpfung erworben.

Seit Tagen formulierte Zweigelt diesen Satz. So stand es in allen Zeitungen: Bärloch habe sich große Verdienste in der Terrorbekämpfung erworben. Aber ...

– Jetzt sind Sie vorzeitig pensioniert, ein Privatmann also. Privatleuten steht keine Dienstwohnung zu, auch wenn sie gefährdet sind, das ist ein Zielkonflikt. Die Öffentlichkeit hat kein Verständnis dafür, wenn ein pensionierter Beamter in einer Dienstwohnung lebt.

Bärloch fuhr hoch. Packte sein Jackett am Revers, zog es auseinander und machte eine Bewegung, als wolle er es sich vom Leib reißen.

– Was soll ich tun? Ihnen gleich die entblößte Brust anbieten?

Zweigelt kniff die Augen zusammen, er schien um Selbstbeherrschung zu ringen. Seine Stimme war gepreßt, er zischte.

– Man erwartet von Ihnen, daß Sie wie ein Mann abtreten, gefaßt, statt vor Selbstmitleid überzufließen.

Überrascht blickte Bärloch auf. Was für ein Ton!

– Tun Sie nicht, als seien Sie der Mohr, der seine Schuldigkeit getan hat, der gedient hat und den man jetzt tritt! In einer Demokratie sind alle Amtsträger auf Zeit.

Bärloch wußte, woher Zweigelts Heftigkeit rührte. Staatssekretär Wiedeler hatte ihm unter dem Siegel der Verschwiegenheit den Hinweis zukommen lassen, daß sich der Minister als Handlanger benutzt fühle, weil er seit seinem Amtsantritt genötigt sei, Verschwörungstheorien und Polizeistaatsvisionen zu moderieren, aus denen Bärloch den Anspruch auf höhere Etats, weitergehende Datensammlungen und ungebremsten Zugriff auf vorhandene Informationssysteme ableitete.

In der Tat hatte Bärloch eine Ablehnung seiner Vorstellungen nie akzeptiert. Er tat so, als habe man ihn nur nicht richtig verstanden, und beharrte auf seinen Positionen.

Erst heutzutage zeichne sich ab, hatte Bärloch großspurig verkündet, daß sich durch die elektronische Datenverarbeitung die gesamte polizeiliche Arbeit von Grund auf verändern werde. Als würde man dem Organismus der Polizei ein vollständig neues Nervensystem mit vielfach feinerer Sensibilität und Reaktionsfähigkeit einpflanzen. Diese Umwälzung durchzuführen, darin sah er seine Mission.

Mit solchen Thesen trat Bärloch gerne in der wissenschaftlichen Diskussion hervor, um die soziologische *Devianzforschung* zu bereichern. Auf Innenministerkonferenzen hütete er sich, dergleichen zu vertreten. Wer will denn die Pferde scheu machen? Die Politiker sahen im Polizisten den Handlanger, nicht umgekehrt. Deshalb betitelte Bärloch seinen Vortrag: Wie finde ich die Nadel im Heuhaufen? Stets referierte er mit beeindruckenden Schaubildern, um den Damen und Herren klarzumachen, worum es ging. Daß die Minister entweder ahnungslos oder ignorant waren, durfte man sie nicht merken lassen. Man brachte sie sonst gegen sich auf. Schlau betrieb Bärloch Selbstverkleinerung und tarnte seine Absichten. Er wollte sie selbst auf die Ideen kommen lassen, die ihm wichtig waren.

– Wir analysieren ihren Müll, führte er aus.

Bärloch sparte nicht mit Details. Und im Kopf der Politiker erstand das Bild von den armen Polizistenschweinen, die zum Wohle des Staates in Käserinden, schimmeligem Gemüse, Knochen, Kaffeesatz, Zigarettenstummeln, Tampons und Kondomen wühlten und die Reste häufelten. Sie machten – weiß Gott! – die Dreckarbeit.

– Wir wissen daher, welchen Kaffee sie trinken, was für eine Nachtcreme oder welche Zahnbürste sie bevorzugt, wir wissen, ob er raucht, trinkt, Medikamente nimmt. Auf weggeworfenen Kassenbons sind Zeit und Ort ausgedruckt. Wir wissen, wann sie in der Regel einkaufen und in welcher Art von Geschäften. In ihren konspirativen Wohnungen, die sie aufgegeben haben, haben wir jedes Stäubchen umgedreht. Heute kann uns schon eine Abfallanalyse zweifelsfrei sagen, ob es sich bei festgenommenen Personen um die Gesuchten handelt oder nicht.

Zweigelt pumpte. Seine geschwollene Stirnader verriet, wie sehr ihm die Galle hochgekommen war.

– Ihre Konzepte sind gescheitert, Bärloch! Das Bundesverfassungsgericht hat uns sogar eine Volkszählung verboten. Niemand will einen totalitären Überwachungsstaat. Solche Forderungen und ihre technische Realisierung sind vom Tisch, sie sind politisch nicht mehr wünschenswert.

Er erzählt denselben Schwachsinn wie vor laufender Kamera, dachte Bärloch. Er ist darauf versessen, daß Zustimmung sofort als stetig wachsendes Punktekonto hochgezählt wird.

– Und was ist mit der Reorganisation von PIOS? fragte Bärloch.

Personen Institutionen Objekte und Sachen. PIOS war sein Baby. Bärloch hatte das System initiiert, um das gesamte Wissen über den Terrorismus in einer Datei zusammenfließen zu lassen. Nahm man einen Gesuchten fest und fand in seiner Hosentasche einen Zettel mit Telephonnummern, wurden sie in PIOS eingegeben. Verknüpft und bewertet wurden sie erst später, wenn es Anlaß oder Handhabe gab. PIOS war beides: Datengrab und Informationspool. Bärloch predigte immer wieder, es gehe darum, Wissen zu bündeln. Sein Ehrgeiz war es, auch andere Informationssysteme in PIOS einfließen zu lassen, allen voran BEFA, die Beobachtende Fahndung, durch die Reisebewegungen von bestimmten Personen aufgezeichnet wurden. Oder auch die Daten der Häftlingsüberwachung, Alibiüberprüfungen, verlorengegangene Personalausweise, Herkunft von Gegenständen in konspirativen Wohnungen und vieles andere mehr. Inzwischen stand PIOS vor dem Kollaps. Der Datenbestand war angeschwollen und inkonsistent geworden, so daß ein und dieselbe Anfrage, mehrmals gestellt, unterschiedliche Ergebnisse lieferte. Aber Bärloch betrachtete PIOS als seinen eigentlichen Hort. Viele Daten, wie die der BEFA, mußten jährlich gelöscht werden, darauf achtete der Datenschutzbeauftragte. Aber die Löschung blieb Makulatur, weil Bärloch vorher das gesamte Material in PIOS überführt hatte. Nur er hatte noch einen Überblick, was dort lag, und er war der einzige, der eine solche Reorganisation durchführen konnte.

Zweigelt stutzte einen Moment lang und überlegte.

– Das regeln wir in einem Beratervertrag. Das bringen Sie meinetwegen zu Ende.

– Dazu brauche ich ein eigenes Terminal und Administratorenstatus.

Bärloch nutzte die offene Flanke, um Forderungen zu stellen. So konnte er wenigstens PIOS retten.

– Wenn es notwendig ist, erwiderte Zweigelt.

Bärloch wußte, daß der Minister von diesen Dingen keine Ahnung hatte. Das war auf Sachbearbeiterebene zu delegieren. Beim Herumrechten um derartiges machte er eine schlechte Figur.

– Und noch eines, Bärloch, fuhr Zweigelt fort und schlug wieder einen aggressiven Ton an, für mich ist die RAF am Ende. Wir machen jetzt auch Mohnhaupt und Klar den Prozeß …

– Habe ich doch selber vorbereitet, brauste Bärloch auf. Im übrigen bin ich nicht Ihrer Ansicht. Es wird neue Anschläge geben, der Terrorismus ist noch lange nicht am Ende.

– Sie haben sich, wie schon gesagt, bestätigte Zweigelt, durch die Ergreifung der beiden und die Zusammenstellung zwingenden Beweismaterials auf Seiten der Staatsanwaltschaft große Verdienste erworben. Und den Rest überlassen Sie getrost Ihrem Nachfolger …

Zweigelt brach ab. Bärloch saß in sich zusammengesunken da, grau, alt, teigig, unfähig, die Hand zur Brieftasche mit dem Photo zu führen. Zweigelt gab ihm einen Klaps auf die Schulter.

– Handeln Sie die Details mit Wiedeler aus. Er wird Ihnen helfen. Alles Gute!

Wie ein geprügelter Hund schlich Bärloch in sein Zimmer zurück. Bei Frau Rose wartete Brill, sein Assistent, auf ihn. Brill erschrak, als er ihn sah.

– Was ist los, Chef?

Bärloch winkte wortlos ab und drückte die Türe hinter sich zu. Später ließ er sich dann bei Staatssekretär Wiedeler melden. Der wand sich. Er mochte Bärloch, aber sein Problem war ein anderes.

– Bärloch, es tut mir ja leid, aber man hat Sie abserviert, und ich kann daher nicht so, wie ich gerne möchte. Schauen Sie mal her, hier ist Herrnsberg.

Wiedeler zeichnete einen Kreis auf die Karte, aber Bärloch schaute nicht hin, wollte das gar nicht wissen, denn Wiedeler hatte ausgesprochen, was er nicht wahrhaben wollte.

Zwei Wochen später saß Bärloch im Fond seines Wagens. Es war ein BMW, gepanzert, ein Dienstfahrzeug des Innenministeriums, gelenkt von Fritz Knöbel, seinem Fahrer, Adlatus und Freund. Beide standen ihm – bis auf weiteres, Entscheidung bei Wiedervorlage Herbst – noch zur Verfügung.

– Fritz, wo ist eigentlich dieses Herrnsberg? rief Bärloch klagend. Er hatte sich in die rechte hintere Ecke des Sitzes fast hineingekauert und den Vorhang zugezogen.

– Ausfahrt Greding, Chef. Gleich dahinter. Schönstes Altmühltal.

– Ach Scheiße: Altmühltal. Arsch der Welt! Nur Pampa! Ich bin ein rheinischer Mensch, was soll ich dort? Das ist Verbannung. Sibirien!

Bärloch sah, wie Fritz ihn im Rückspiegel musterte. In seinem besorgten Blick las er, wie schlimm es um ihn stand. Ja, er fühlte sich beschissen, schlapp, ohne jeden Widerstandsgeist.

– Chef, sagte Fritz, der fränkische Wein ist mindestens so gut wie der rheinische.

– Ich habe Hunger, knurrte Bärloch. Fahr irgendwo raus, ich muß etwas essen.

Fritz trank einen Kaffee. Bärloch hatte sich einen Linsentopf mit Bauchspeck und eine Portion Bratkartoffeln dazu kommen lassen. Neben sich auf den Stuhl hatte er den Stapel von Zeitungen gelegt, die er schon im Auto gelesen und wütend beiseite geworfen hatte. Er hatte Unterstützung erwartet, statt dessen machte sich Erleichterung über seinen Abgang breit.

– Keiner, kein einziger springt für mich in die Bresche.

Bärloch nahm schlürfend einen Löffel Linsen. Mit spitzen Fingern holte er ein Stück Schwarte aus dem Mund und legte es auf den Unterteller.

Später spazierten sie auf dem Kasernengelände herum. Ein kalter Wind blies, der Himmel war grau. Fritz hielt die Karte mit Wiedelers Angaben und Hinweisen in der Hand.

– Das ist das Grundstück, Chef. Von hier nach hier. Okay, rundherum ist Kaserne, dazu will ich nichts sagen. Aber die Gegend selber, also wirklich: Ist doch schön hier.

– Und das Haus, das hier hingestellt wird, muß ich selber bezahlen, murmelte Bärloch. Der Teufel soll dieses Bonner Pack holen! Er hatte seine Hände tief in den Manteltaschen vergraben. Ich habe mir zwanzig Jahre lang den Arsch aufgerissen. War Tag und Nacht verfügbar. Habe alles aufgegeben, mein Privatleben, meine Freunde. Und jetzt? Jetzt muß ich mir auch noch mein Volksgefängnis selber bauen.

Bärlochs Augen waren feucht geworden. Etwas saß ihm im Hals. Er drückte und schluckte. Aber es war festgewachsen.

Doerenbach zögert. Er taktiert und spricht laufend neue Probleme an. Karmann könne, wenn er wolle, den ganzen HR platt machen. Wahnsinn! Außerdem sagt Doerenbach, er habe die Sache Riesmann, seinem Abteilungsleiter, vorgetragen. Der habe sofort dagegengehalten, ich hätte nicht die nötige Akzeptanz. Riesmann habe mich als Linksradikalen bezeichnet. Mir fehle die moralische Autorität für einen solchen Beitrag. Dadurch werde die Sache, um die es gehe, angreifbar. Braucht Wahrheit moralische Autorität? Der Irrwitz ist, daß sie mir gar nicht widersprechen. Sie finden es nur taktisch unklug, so vorzugehen. Brachial, sagen sie. Bei einer Enthüllungsgeschichte müsse alles wasserdicht sein, sonst würden sie alle absaufen. Was heißt das denn? frage ich. Auf der Redaktionskonferenz sei die Idee aufgekommen, jemand anderen den Beitrag machen zu lassen, sagt Doerenbach. Und wen? frage ich. Eine Art Strohmann, aber von moralischer Integrität. Einen fellow traveller, wenn du verstehst, was ich meine, sagt Doerenbach. Meint der das ernst oder will er mich verarschen? Widerwärtiger Zynismus ist das allemal! Lange gucke ich mir das nicht mehr an. Ich werde nicht zulassen, daß Karmann ungeschoren davonkommt.

3. Arschkarte

Bärloch war weg, und im Amt blühten die Spekulationen, wie es weitergehen würde. Vor allem Brill, Bärlochs Assistent, schwebte zwischen Hoffen und Bangen, was seine weitere Zukunft betraf. Dann kam Hellmann, der Nachfolger auf Bärlochs Posten, und nun ging alles ganz schnell. Brill wurde zu einem Gespräch gebeten. Hellmann sagte, Assistent zu sein, bedeute in erster Linie, eine persönliche Vertrauensstellung innezuhaben. Um Kompetenz gehe es dabei nur in zweiter Linie.

– Daß wir uns richtig verstehen: Sie haben ausgezeichnete Arbeit geleistet, das steht vollkommen außer Frage. Dafür habe ich mich zu bedanken. Hier ist Ihr neuer Marschbefehl!

Mit diesen zackigen Worten überreichte Hellmann Brill einen

Umschlag und verabschiedete ihn. Brill war verdattert. Als er den Umschlag in seinem Büro öffnete, wurde ihm klar, daß man ihn soeben nach München zurückversetzt hatte. An das Landeskriminalamt. Nach einem halben Jahr wieder nach Hause geschickt zu werden, war *worst case*, er hatte soeben die Arschkarte gezogen.

Brill wußte nicht, wohin er nun gehen sollte, und fuhr dann zur Wohnung seiner Tante, die ihm ein Zimmer zur Verfügung gestellt hatte. Eigene Räume wollte er erst dann, wenn er sicher sein konnte, daß er es geschafft hatte. Man müsse sich klare Ziele stecken, hatte sein Vater, ein Autohändler, ihm eingebleut. Wenn man etwas wirklich erreichen wolle, dann gebe es nur Sieg oder Niederlage, alles dazwischen sei Selbstbetrug. Dabei war klar, welcher Seite ihn sein Vater zuordnete: Horst Brill hatte das Abitur nur mit Ach und Krach geschafft. Kunstgeschichte oder so ein Püppi-Studium bezahle er nicht, sagte sein Vater. Betriebswirtschaft oder Jura waren mit einem Numerus clausus belegt und kamen nicht in Frage. Also hing Horst Brill herum und hoffte, es werde ihm schon die richtige Idee kommen. Autohandel jedenfalls nicht, dafür sei ihm das Abitur zu schade, sagte er in einer Auseinandersetzung, die zum wiederholten Male um seine Zukunft geführt wurde. Sein Vater zögerte nicht lange und schlug zu, Horst haute zum ersten Mal zurück. Deshalb hatte der Alte ihn aus dem Haus geworfen. Aber die Verwandtschaft mütterlicherseits hielt zu ihm.

– Horst, bist du das? rief seine Tante aus ihrem Zimmer, als er die Türe öffnete.

– Ja, alles in Ordnung! Muß gleich wieder weg.

Als er ihre Stimme hörte, wußte er, daß es ihm unmöglich war, ihr jetzt gegenüber zu treten. Also sperrte er sich im Bad ein. Es war damals einfach nicht vorwärtsgegangen mit ihm. Die Zeit zog sich, und Geld war auch nie genug da. Also ging er zur Berufsberatung des Arbeitsamts. Er wollte einen Job, in dem man ohne jahrelange Ausbildung reüssieren konnte. Der Berater stellte ihm die Chancen und Vorteile der gehobenen Laufbahn im Polizeidienst dar. Warum nicht, mit Abitur war man dort schnell jemand. Ein paar Jahre später war Brill Inspektor und wußte, daß seine Entscheidung ein Irrtum gewesen war. Er hatte die Schnauze voll von der Arbeit im Dezernat II, Tötungs- und Branddelikte, Vermißte. So ziemlich jeder Arsch da draußen hielt sich für etwas Besseres als ein Polizist. Gesellschaftliche Anerkennung gleich Null, das zehrte. Das war doch keine Laufbahn, das war ein Kreuzweg! Austeilen und einstecken war die Devise. Und das Arbeitsgerät gut in Schuß halten: den *Body*. Brill besuchte wie einige seiner Kollegen das Fitneßstudio des Polizeisportvereins. Oft erschien er dort morgens dumpf und leicht verkatert. Beim Training füllten sich nicht nur die Muskeln mit Blut, auch das Gehirn profitierte von der beschleunigten Zirkulation. Nicht der Schlaf, sondern die Übungen beseitigten die Reste des vorangegangenen Tages: verbrauchte Gedanken, stockige Gefühle. In gewisser Weise waren alle Organe wie Schwellkörper: erst durch den Einschuß von frischem Blut taten sie wieder ihren Dienst.

Brill versuchte stets zu erspüren, woher der Wind wehte, um seine Position doch noch verbessern zu können. Unter gewitzten Kollegen ging ein Tip um: Man müsse jetzt auf elektronische Datenverarbeitung umsatteln, das habe Zukunft. Brill war inzwischen für jeden Hinweis empfänglich. Er ließ sich in Abendkursen und Fortbildungsmaßnahmen schulen. Vielleicht könnte er doch noch den Absprung schaffen. Nach draußen oder ganz ins Innere der Behörde. Irgendwohin. Schließlich bewarb er sich auf eine Stelle in Bärlochs Sonderabteilung Terrorbekämpfung. Vor einem halben Jahr wurde er prompt von München nach Bonn versetzt. EDV-Kenntnisse öffneten in der Tat jede Türe. Bärloch persönlich lernte Brill kennen, als er ein kleines Hilfsprogramm geschrieben hatte, um besser in PIOS recherchieren zu können. In PIOS waren inzwischen alle Daten polizeilicher Ermittlungen zusammengezogen worden, unterschieden nur nach den genannten Sachgruppen. Aus zwölf Millionen Aktenblättern war ein Datenhaufen entstanden. Alles war da drinnen: Straßenname und -nummer, wo der Beschuldigte gegen das Garagentor gefahren war, die Mauer, die er anschließend angepißt hatte, die Adresse seines Arztes, der den Urin verifizieren konnte, der Name seines Bruders, der die Praxisadresse bekanntgegeben hatte. Außerdem gab es Datenbestände zu Organisationen; es gab Fingerabdrücke, Lichtbilder, auch Handschriftenproben. Kommunen, Initiativgruppen, gewalttätige Störer waren speziell gekennzeichnet. Sie hatten alles dort hineingewurstet, was man polizeilicherseits in die Finger bekommen hatte. Wer sich auskannte und den Pool richtig befragen konnte, gewann profunde Erkenntnisse, wer aber kein Spezialist war, stand wie der Ochs vorm Berg. Die Arbeit am Terminal ging träge vonstatten, komplizierte Anfragen dauerten. Ermittlungen vor Ort waren da oftmals schneller. Deshalb schrieb Brill ein Programm, in dem die Anfragen zu Profilen gebündelt dem System übergeben werden konnten und nach der Verarbeitung automatisch auf dem Drucker ausgegeben wurden. In der Zwischenzeit konnte man Kaffee trinken. Bärloch war begeistert. Genau das hatte gefehlt. Er berief Brill zu seinem Assistenten. Solche Sachen sollte er austüfteln. Und jetzt? Alles aus! Gehen Sie zurück auf Los!

Brill starrte in den Spiegel, als lasse sich in ihm seine Zukunft ergründen. Im Prinzip, so sinnierte er, hat man nie eine klare Vorstellung davon, wie man aussieht. Gesichter legen sich im Lauf der Zeit übereinander wie Maske auf Maske. Aber jedes bleibt erhalten. Ich sehe mich im Spiegel als Kind, so wie ich damals eins hinter die Löffel bekommen habe, wehleidig, weinend, rotzverschmiert; die Narbe unterm Auge immer noch die Narbe, wie ich vom Baum gestürzt bin, ratsch der Ast; der Haarpelz, durch den meine Mutter gestrichen hat: Komm her, Horsti! Die Stirne pickelübersät, rot entzündete, druckempfindliche Monster; der Nasenbeinbruch, den ich mir von diesem durchgedrehten Zuhälter geholt habe, diesem Arschloch mit seinem Schlagring: die Nase vorher, nachher – immer sehe ich alle Zustände an mir. Heute habe ich verloren, das gräbt sich ein und wird nie aus meinem Gesicht verschwinden.

Brill ging in sein Zimmer und holte eine Jacke. Mit seiner Tante würde er morgen reden. Wenn sich alles ein wenig gesetzt hatte. Jetzt erst mal ein paar Biere.

– Es wird spät heute, rief er und warf die Haustüre hinter sich zu.

Brill, ein massiger Einsneunzigmann, marschierte los. Graue Hose, Gabardine, die faltenlos eng an seinem markanten Hinterteil anlag, breiter Gürtel mit silbern glänzender Schnalle. Blaues Hemd, dessen Schnitt die kräftige Rückenmuskulatur betonte und vorne den Bauchansatz verdeckte, darüber die braune Lederjacke. Breites, flächiges Gesicht mit hervorstehenden Backenknochen, slawisches Erbe, sagte die Mutter, Boxernase, das dunkle Haar glatt nach hinten gestrichen, oben auf der Stirn saß die goldumrandete Pilotenbrille mit grünen Gläsern.

Kurz vor der Sperrstunde stieß Brill mit einer Hand die Toilettentür auf, ließ sie hinter sich zufallen, stützte sich auf dem Waschbecken mit beiden Händen auf und besah sich im noch einmal im Spiegel. Man müßte unverletzlich sein. Oder wenigstens so wirken. L.A.-Bulle wäre okay. Uniformgepanzert, undurchdringlich mit spiegelnder Sonnenbrille. Am L.A.-Bullen ist alles straff, jeder Knopf, jede Plakette sitzt. Die Papiere, Sir! – Au verdammt, bin ich blau, sagte Brill halblaut und haute sich patschend seitlich gegen den Kopf, als könne er sich damit ausnüchtern. Alles wäre okay, wenn ich nicht die Arschkarte gezogen hätte. Bei dem Wort Arschkarte machte Brill eine Beißergrimasse und bleckte die Zähne. Streckte sich dann die Zunge heraus und murmelte: Schimpansenartig! Brill trat an das Pissoir, begleitete den herausschießenden Strahl mit einem Stöhnen und ließ laufen. Auf dem Weg zum Tisch zurück bestellte Brill einen doppelten Espresso an der Bar.

Habe wieder Kontakt mit ihnen aufgenommen und sie in einem Café im Westend wiedergetroffen. Ob ich es mir anders überlegt hätte, fragt sie. Wir reden über den Startbahn West-Widerstand. Sie zeigt auf, wie die Bewegung da gedemütigt worden ist. Nichts erreicht. Schon, aber diese Unfähigkeit entspricht dem Stand unserer organisatorischen Fähigkeiten, erwidere ich. Sie lacht. Ist das ein historisches oder ein logisches Argument? Sie hat ja recht, was soll dieses Gelabere, um unsere Niederlage, um mein Versagen zu bemänteln. Sich an seiner Schwäche festzuklammern, das sind sie doch, die Kostüme der Müdigkeit.
Dann erzähle ich ihr von Karmann. Ich möchte wissen, ob sie meine Empörung teilen, ob sie etwas gegen ihn unternehmen wollen. Paß auf, sagt sie, spontaneistische Sachen gibt es bei uns nicht. Stellst eine Ungerechtigkeit fest, kriegst eine Aufwallung und willst gegen jemand vorgehen. So läuft das nicht. Es geht nicht um das Sündenregister eines Einzelnen, es geht um die Abschaffung des Systems. Ohne revolutionäre Disziplin kommen wir nicht vorwärts.
Aber genau da kommen wir nicht zusammen. Ich verabscheue anonyme Gewalt, deshalb habe ich den Kriegsdienst verweigert, ich fühle immer noch antiautoritär, ich füge mich daher nie in eine militärische Gruppe. In ein Unten und Oben. Es muß einen anderen Weg geben, ich gehöre da einfach nicht hinein.

4. Rote Fahnen

Erst mal tat sich nichts, als Jakob klingelte. Dann ein vorsichtiges Tappen auf Holzbohlen. Jemand blickte durch den Spion. Jakob pochte gegen die Türe.

– Ich bin es, Jakob. Laß mich bitte rein!

Jetzt wurde die Türe einen Spalt breit geöffnet, Pia lugte heraus. Dann wurde die Türe wieder geschlossen, die Kette des Vorhängeschlosses gelöst, und Pia stand mit ausgebreiteten Armen da.

– Hey, sagte sie freudig überrascht.

Dann umarmte sie Jakob. Der jedoch blieb ganz steif.

– Gerade habe ich an dich gedacht. Daß dir hoffentlich nichts passiert und sie dich nicht festnehmen.

Jakob trat rasch nach innen und drückte die Türe zu. Dann legte er die Kette vor. Pia musterte ihn. Erst jetzt sah sie, wie bleich er war. Er wirkte abgehetzt und nervös.

– Was ist los?

– Sie sind hinter mir her.

– Warum?

Jakob zuckte die Achseln.

– Weiß nicht, keine Ahnung! Womöglich geht es gar nicht um mich, sondern um einen Freund.

Als Jakob seine Jacke auszog, bemerkte Pia, daß er seinen rechten Arm steif hielt.

– Du hast ja doch was abbekommen.

– Nicht schlimm, erwiderte Jakob. War ein Reflex. Der Bulle hat ausgeholt und durchgezogen, da habe ich automatisch den Arm hochgerissen. Sonst hätte ich was auf den Kopf bekommen. Ist aber nur eine Prellung.

– Tee?

Jakob zögerte. Er sah sich um. Zweizimmer-Altbau, mit schlauchartigem Gang und Wohnküche. Eine Tür stand offen. Die Wände frisch geweißt, am Boden ein Podest mit Matratzen, darüber ein Flokati, Kissen, *Momo* lag aufgeschlagen daneben, blaue Vorhänge. Das andere Zimmer war geschlossen. Jakob deutete darauf.

– Wohnst du alleine?

– Nein, mit einer Freundin zusammen. Sie kommt erst nächsten Monat wieder, ist verreist. Vier Wochen Griechenland.

Nun saßen sie in der Küche. Pia stellte ihre Beine auf die Sitzfläche des Stuhls und umfaßte sie mit den Armen. Die Teetasse gab sie nicht aus der Hand, sie nippte nur daran. Ihr langes blondes Haar, das dauernd nach vorne fiel und ihr Gesicht verdeckte, drehte sie hinten am Nacken zu einem Schwanz ein. Die Küche war kühl und feucht, daher zündete Pia den Backofen des Gasherds an und öffnete die Klappe. Es wurde warm. Pias Backen röteten sich, sie zog ihren Pullover aus und hängte ihn über den Stuhl. Sie trug ein langes weißes T-Shirt, und Jakob sah, daß sie sehr schlank war.

– Erzähl!

Heute war die Startbahn West offiziell in Betrieb genommen worden. Jakob war, wie viele andere auch, nach Mörfelden-Walldorf gefahren. Niemand wußte genau, was stattfinden sollte, sicher war nur, daß die Demonstranten zum Flughafen ziehen würden. Bereits am Sammelpunkt waren Luftballons verteilt worden, die massenhaft aufsteigen und damit den Flugverkehr stören sollten. Nett, dachte Jakob. Aber harmlos. Kindisch! Der phantasievolle Protest war doch gescheitert. Er sollte nur die Angst vor dem überspielen, was eigentlich stattfand: Gewalt trifft auf Gegengewalt. Hatte man das Zeug, den Start von Flugzeugen zu verhindern, oder nicht? Luftballons waren nur für die Öffentlichkeit: Seht her, wir würden gerne dagegenhalten, aber wir können nicht. Auch am Tag unserer Niederlage sind wir noch die Guten. Peinliche Scheiße! Auf dem Weg zum Flughafen lief Pia neben ihm. Hielt beide Arme tief in einem etwas zu groß geratenen Parka vergraben. Geliehen, mutmaßte Jakob. Bald darauf wurde geschoben und geschubst, weil jemand am Rand photographierende Zivile bemerkt hatte. Aus der Mitte heraus flogen Steine. Dort marschierten Autonome, schwarz, in hohen geschnürten Stiefeln. Lederjacken, Palästinensertücher und tief ins Gesicht gezogene Mützen. Um sie herum ein Kordon normaler Demonstranten. Zu ihrem Schutz, damit sie nicht herausgegriffen werden konnten. Jakob gehört weder zu den einen noch zu den anderen, dachte Pia. Zwar trug auch Jakob Schwarz, aber alles an ihm war bürgerlich-unauffällig. Jakob ging allein, schloß sich nirgendwo an, schritt wie auf einer Prozession. Auch mit den Militanten wollte Jakob nichts gemein haben. Straßenkämpfer, die nicht in der Lage waren, den Einsatz ihrer Mittel zu kalkulieren. Die sich nur Luft machten, nur spontane Empörung in

Aktion umsetzten. Statt vorher Überlegungen anzustellen, wie die Gegenseite auszuhebeln war, saßen sie in ihren Kneipen herum, schütteten sich zu, kifften, baggerten Frauen an. Wenn sie sich empörten, landeten diese Kämpfer regelmäßig im Knast, fanden das ungerecht statt logisch, wurden kurzzeitig zu Szenehelden, bis man sie wieder vergaß, und dann machten sie genau dasselbe noch einmal. Wie Ratten auf der Onaniertaste. Ohne einen Funken Verstand.

Pia hatte irgendwann seinen Arm gefaßt. Später seine Hand. Jakob fühlte sich angehängt, ging so steif, als habe er seine gehbehinderte Großmutter am Arm. Später legte er seine Scheu ab, fand zu seiner Aufgabe, die er darin sah, Pia zu beschützen. Sie war ängstlich. Jakob spürte, wie nervös sie ihren Daumen an seiner Hand rieb. Ein ständiges Kreisen mit der rauhen Kuppe ihres Daumens. Bevor sie den Flughafen erreichten, schickte Jakob Pia fort. Sie solle jetzt besser gehen. Seltsam, gerade zu solchen prekären Aktionen fanden sich immer wieder Leute ein, die man vorher nie bei politischen Veranstaltungen gesehen hatte. Pia nannte ihren Namen und ihre Adresse – besuch mich doch mal –, bevor sie verschwand.

Später, schon auf dem Weg nach Hause, hatte Jakob dann Fritz getroffen. Daß ihnen zwei Männer folgten, merkten sie nicht. Der eine trug Lederjacke und Schiebermütze, der andere einen hellen Popelinemantel. Es waren Zivile. Als sicher war, daß die beiden keine Unterstützung mehr durch andere Demonstranten hatten, griffen sie zu. Sie drängten Fritz und Jakob in eine Hauseinfahrt und stießen sie vor sich her. Fritz setzte sich sofort zur Wehr und schob den Angreifer weg. Er solle seine Finger von ihm lassen. Ohne zu zögern schlugen beide zu. Jakob duckte sich. Fritz hob die Arme schützend vor das Gesicht. Der eine Zivile versuchte die Arme wieder auseinanderzureißen, vergeblich, daher packte der andere die rechte Hand und bog den Mittelfinger nach hinten. Fritz schrie und gab jede Deckung auf. Faustschläge trafen sein Gesicht, er fiel zu Boden. Sie rissen ihn hoch und drückten ihn gegen die Wand. Unfähig zur Gegenwehr hatte Jakob alles beobachtet. Er war in eine Angststarre verfallen. Mit knapper Geste dirigierte ihn der in der Lederjacke ebenfalls zur Hauswand. Sein Gesichtsausdruck war spöttisch, und er deutete mit der Pistole auf die Stelle, an die sich Jakob zu begeben hatte. Hopp, hopp! Dort standen sie mit erhobenen Händen und weit auseinandergespreizten Beinen, um sich nach Waffen durchsuchen zu lassen. Der Mittelfinger von Fritz war dick angeschwollen, blutiger Rotz lief ihm aus der Nase. Sie legten ihm Handschellen an. Der im hellen Mantel stieß Fritz vor sich her, Jakob trottete hinterdrein. Sie ließen ihn in Ruhe, denn beide Zivile hatten ihm angemerkt, daß er Angst hatte und es nicht wagen würde, Widerstand zu leisten. Nur Fritz konnte ihnen gefährlich werden. Auch das hatten sie klar erkannt. Sie kamen bei einem blauen BMW an. Der in der Lederjacke öffnete den Wagen, setzte sich auf den Fahrersitz und stellte ein Blaulicht oben auf das Autodach. Der andere öffnete den hinteren Schlag. Nun hau doch endlich ab, du Idiot! zischte Fritz. Und erst auf diesen Befehl hin begann Jakob zu laufen. Als er sich endlich umdrehte, sah er, daß er seinen Verfolger schon weit hinter sich gelassen hatte.

Jakob schämte sich. Er war kein Gegner, sie hatten ihn zurecht als Angsthasen taxiert. Er hatte nichts getan, hatte sich aber dennoch wie ein Schuldiger verhalten, hatte diese tiefsitzende kleinbürgerliche Angst vor jeder Art von Uniform. Stillgestanden, Hacken zusammen, zu Befehl! Wo waren seine Haltung und seine Überzeugungen geblieben? Keine Zivilcourage! Das war der Untertan in ihm.

Pia schaute ihn betroffen an, versuchte abzulenken.

– Was machst du eigentlich? Studierst du noch?

Jakob schüttelte den Kopf.

– Ich habe es hingeschmissen. Schon lange. Hat nichts gebracht. Ich arbeite als Journalist. Habe für *Twen*, für *Konkret* geschrieben. Für den Evangelischen Pressedienst. Heute vorwiegend für linke Blätter. Wenn ich Geld brauche, schreibe ich Drehbücher oder mache Filme.

– Was für Filme?

– Wenn ich Glück habe und mich durchsetzen kann, so was wie

Rote Fahnen sieht man besser. Wenn ich Pech habe, sozialdemokratischen Scheiß.

Pia lehnte sich zurück, als wolle sie auf Distanz gehen.

– Wie alt bist du denn?

– Fünfunddreißig. Und du?

– Zehn weniger. Und was denkst du politisch?

Jakob zog die Brauen hoch.

– Was erwartest du? Eine Art Glaubensbekenntnis?

Pia wurde rot, blieb aber ganz ernsthaft.

– Ich will nur wissen, was du denkst und warum.

Jakob sah sie an, versuchte langsam und präzise zu formulieren.

– Als es in den sechziger, siebziger Jahren hieß, das System wird immer faschistischer, hat man versucht, uns das auszureden. Die Hochrüstung mit Atomraketen, die letztes Jahr durch den Bundestag gegangen ist, hat noch ein sozialdemokratischer Kanzler auf die Schiene gesetzt. Flickaffäre! Gibt es noch irgendeinen Zweifel, daß die Politik korrupt und Werkzeug des Kapitals ist? Arbeitslosigkeit über zehn Prozent, aber der dumme Prolet merkt nicht, was gespielt wird. Reagan läßt den CIA die Häfen in Nicaragua verminen, um die Sandinista auszuhungern. Nach Jahren des Widerstands wird die Startbahn West doch eröffnet. Heute haben sie über fünfzig Leute festgenommen. Wo ich stehe, beantwortet sich damit von selbst. Ich bin dagegen, und zwar mit allen Mitteln, die mir zur Verfügung stehen. Verstehst du?

Pia nickte.

– Aber du rennst gegen eine Mauer. Das Schlimme ist diese Machtlosigkeit. Das System ist stärker als ein paar Einzelne.

Jakob schüttelte den Kopf.

– Und die Konsequenz? Nichts tun, weil es sinnlos ist? Kann nicht sein! So darf man sich nicht aus der Affäre ziehen. Über politische Einschätzungen kann man diskutieren, da kann man vieles so oder so sehen. Aber dahinter steht eine Frage, die wir alle für uns ganz allein beantworten müssen: Was habe ich ganz persönlich gegen Unrecht, Unterdrückung und Gewalt getan. Auch die richtigste Einschätzung wird zynisch, wenn unter dem Strich rauskommt, daß man eigentlich gar nichts tun kann. Meine Eltern waren typische Gutmenschen, die sich für alle möglichen Anliegen haben einspannen lassen. Mit der Sammelbüchse von Haustür zu Haustür. Verblendet, kannst du sagen, gut! Aber was ich von heute aus gesehen in Ordnung finde, ist, daß sie auf ihre Art auch praktisch für ihre Haltung eingestanden sind. Als ihr aufmüpfiger Pfarrer von der Gestapo verhört wurde, hat mein Vater laut und deutlich gesagt, die Nazis seien eine Kulturschande. Dabei ist er geblieben. Natürlich hat er nie begriffen, was der Faschismus ist, aber was innere Konsequenz angeht, muß ich noch einiges von meinem Vater lernen. Der Gegner ist nicht einfach außerhalb, an solchen Tagen begreife ich, daß die eigentliche Mauer in mir ist.

Pia schaute ratlos. Sie verstand nur, daß Jakob den Vorfall heute als Demütigung erfahren hatte.

– Jenseits der Angst die Konfrontation anzunehmen – das zeichnete den neuen Menschen aus.

– Aber du bist doch auch gegen Gewalt?

Jakob zuckt unwillig die Achseln.

– Schon. Aber was heißt das heute noch? Und was mache ich, wenn der eigene Freund und Genosse von zwei bewaffneten Bullen verprügelt wird? Und wenn du das wärst? Oder wenn ein Demonstrant in einen Hausgang flüchtet und von so einem Hausmeisterfascho mit Fäusten wieder rausgehauen wird, den Bullen in die Arme? Oder das Gefühl, wenn ein Ziviler mit gezogener Pistole hinter dir her ist? Was mache ich denn da?

Pia senkte den Blick.

– Man empört sich, du hast recht.

– Das reicht nicht. Das bringt uns nicht weiter. Wenn du wirklich empört bist, dann nützt es nichts, einfach nur zu schreien, sondern du mußt dir überlegen, wie du handeln kannst.

– Bist du irgendwie organisiert, politisch, meine ich?

Jakob musterte sie, kniff die Augen zusammen. Schüttelte dann den Kopf.

– Ich wünschte, es gäbe die Organisation, in die ich hineinpasse.

Gegen Mitternacht nahm Pia ihn wie selbstverständlich mit in ihr Zimmer. Klappte *Momo* zu, zog den Flokati vom Bett, schlüpfte aus ihren Sachen und stand jetzt im Slip da, in einem rosafarbenen Frotteeslip mit einem spitzenartig gezackten Gummizug. Was ist mit dir? fragte sie, als sie Jakobs Zögern bemerkte. Jakob zog sich aus und legte sich zu ihr ins Bett.

Zwei Wochen blieb Jakob. Dann war er wieder verschwunden. Wir sehen uns in einer besseren Welt wieder, hatte er auf einem Zettel hinterlassen.

Endlich habe ich Fritz erreicht. Wo warst du? frage ich. Er lacht. Habe mich nach Palästina abgesetzt, was denkst du? Dann erzählt er, sie hätten ihn nur achtundvierzig Stunden festhalten können, es liege ja nicht wirklich etwas Beweisbares gegen ihn vor. Gegen mich schon gar nicht. Ich solle mich also nicht in eine Paranoia hineinsteigern und in meine Wohnung zurückkommen. Zu Hause ist ein Anruf von Doerenbach. Er habe eine Journalistin in München aufgetan, die die Karmann-Geschichte vielleicht schreiben könnte. Ich habe Doerenbach gesagt, daß ich sie selbst kennenlernen möchte.

5. Scherbenhaufen

Helga hatte den Eindruck, daß sich seit Tagen schon etwas zusammenbraute. Es war, als würden dunkle, an den Rändern schwefelgelbe Wolken um München herumziehen, ohne abregnen zu können. Es war drückend schwül. In der Wohnung trug Helga nur ein weites Hemd. Vor den Fenstern hatte sie Bettlaken aufgehängt, die sie mit der Sprühflasche feucht hielt. Eigentlich half das alles nichts, aber irgend jemand in diesem Hause mußte tätig bleiben und nicht nur alle viere von sich strecken. Eine Sache aufzugeben konnte bedeuten, daß auch andere in einen Sog von Aussichtslosigkeit gerieten.

Vor drei Jahren, als sie sich entschlossen hatte, ein Kind zu bekommen, hatte es geheißen, es sei sinnlos und unverantwortlich in diesen Zeiten. Viele ihrer Freundinnen argumentierten so. Dann hängt euch doch gleich auf, wenn ihr das so seht, hatte sich Helga erregt. Jede Handlung über den Moment und das eigene Interesse hinaus wäre dann falsch. Wozu dann noch politische Arbeit? fragte Helga.

Helgas letzte Zweifel bezüglich Kindern verschwanden, als Jo auf die Welt kam. Er beanspruchte seinen Platz so selbstverständlich, wie ein Körper Wasser verdrängt. Helga vergaß nicht, wie er in seinem Hochstühlchen saß, die Backen breiverschmiert, wie er rhythmisch mit dem Löffel auf das Tablett vor ihm haute, begleitet vom Patschen der anderen Hand, dazu der Mund gespitzt, konzentriert, ganz dieser Tätigkeit hingegeben, das Gesicht dabei aufgehellt vor Freude und Stolz über den Lärm, den er zustande brachte, und dazu vor allem seine Augen, braun, klar in ungetrübtem Weiß. Wie ließ sich da die Frage nach dem Sinn von Jos Existenz überhaupt noch stellen? Die Lebenslust, die er ausstrahlte, ließ überhaupt keine Diskussion aufkommen. Sie war der Sinn, Punktum!

Helga besprühte die Laken und hielt die Flasche kurz auf Jo, der wegen der Hitze nur eine Windel trug und durch die Wohnung watschelte. Jo quiekte, ließ sich aber nicht stören, denn wichtiger war jetzt ein anderes Spiel. Von ganz hinten, von der Haustüre aus, nahm er Anlauf, stoppte ab, um die Kurve ins Mittelzimmer zu kriegen, beschleunigte wieder und rannte geradewegs auf das Bett zu, auf dem Tommi lag, um sich dort in die Bettdecke hineinzuwerfen.

Helga schaute hinüber. Tommi trug nur eine knapp sitzende, rote Unterhose. Er war ein weiteres Thema, über das sich ihre Freundinnen ereifern konnten. Dein kleiner Freund, sagten sie. In seiner übersensiblen Unentschiedenheit war Tommi zutraulich und weich. Helga mochte das, auch, daß er hübsch war. Dunkles, schulterlanges Haar, helle Haut, jünglingshaft geschmeidig. Tommi zog bei ihr ein und kümmerte sich liebevoll um Jo, war Vater im Sinne eines guten Spielkameraden. Mehr war von ihm nicht zu erwarten. Die Versorgung der drei lastete voll auf Helgas Schultern. Tommi war handwerklich sehr geschickt, hatte Jo ein Hochbett gebaut und auf Helgas Drängen hin eine Schreinerlehre gemacht. Nun versuchte er eine Stelle zu finden, um die Meisterprüfung absolvieren zu können. Aber das dauerte, wie fast alles bei Tommi.

Bis vorhin war Besuch aus Frankfurt da gewesen. Jakob Amon war sein Name, er war vom Hessischen Rundfunk angekündigt worden. Er wolle mit ihr über ein Projekt sprechen. Helga hoffte auf einen lukrativen Auftrag. Sie hatten sich vormittags verabredet, leider kam Helga zu spät, ihr Dienst hatte länger gedauert, und für Jo waren noch Windeln zu besorgen. Als sie dann endlich eintraf, verschwitzt und abgehetzt, saß Amon in der Küche, trank Kaffee und schaute Tommi und Jo beim Spielen zu. Tommi warf Jo die Luft. Der Kleine kreischte und juchzte vor Vergnügen. Amon erkundigte sich, was sie so mache. Helga seufzte. Sie schlage sich eben beim Funk durch, mache *Beiträglein*. Beim Familienfunk, beim Jugendfunk, wo immer man sie zur Mitarbeit ermuntere. Leider sei das nichts Festes, jeder Monat beginne wieder bei Null. Soundsoviele Beiträglein für die Miete, für die Kindergruppe, für das Essen, es sei wie Nüsse hamstern, aber es gehe. Irgendwie.

Jakob nickte, sagte, er verstehe. Sie habe für eine Familie zu sorgen. Er wolle keine Umschweife machen, aber das Projekt, weswegen er gekommen sei, sei nicht das richtige für sie. Es gehe eben nicht um einen gut ausgestatteten Auftrag, es sei eine politisch prekäre Sache, eine Enthüllungsgeschichte, in die er sie nicht hineinziehen wolle. Die Sache sei sicherlich nicht ungefährlich, zumal in ihrer Lebenssituation.

Enttäuscht zuckte Helga die Achseln. Jakob Amon bedankte sich, dann erhob er sich und ging.

Es ist deprimierend, dachte Helga, aber man kriegt eben nichts geschenkt. Draußen war es jetzt ganz dunkel geworden, dabei war es erst Spätnachmittag. Auch gestern war es schon mal soweit gewesen, aber passiert war dennoch nichts. Wahrscheinlich begann es zu regnen, wenn sie mit dem Rad zum Elternabend aufbrach. Diese ewigen Elternabende! Gehacke um Scheinprobleme, reine Zeitverschwendung. Plötzlich fing es draußen zu rauschen an, als falle schwerer Regen. Eine Erleichterung, endlich! Am Fensterbrett krachte es. Helga schob das vorgehängte Bettuch beiseite. Es hagelte, so dicht und weiß wie ein Schneesturm. Hagelkörner sprangen vom Fenstersims ab. Waren die groß! Fasziniert schaute Helga zu, und ihr schien, als würde der Hagel immer dichter und die Körner immer größer. In das schwere Rauschen mischte sich immer mehr ein Trommeln. Wie Tischtennisbälle prasselten die Brocken auf die parkenden Autos nieder und sprangen von dem elastischen Blech ab.

Gehsteig und Straße waren vollständig weiß. Gott sei Dank, dachte Helga, aus dem Elternabend wird wohl nichts. Sie sah, wie die Blätter der Kastanie vor dem Fenster heruntergerissen wurden, wie ganze Äste gekappt zu Boden fielen, als schlüge jemand mit dem Säbel drein. Jetzt erst ging ihr die Gewalttätigkeit dieses Hagelschauers auf, und sie bekam es mit der Angst: Das hört ja gar nicht mehr auf! Die Dachziegel des gegenüberliegenden Hauses krachten, gingen unter den fortwährenden Schlägen zu Bruch und schlidderten die Schräge hinunter in die Rinne oder zerschellten auf dem Pflaster. Auch die Glasscheiben waren dem Ansturm des Hagels nicht mehr gewachsen, splitterten, Scheibenteile fielen in den Hof. Es waren zunächst einige Fenster, dann viele, nach kurzer Zeit war die ganze Front in Mitleidenschaft gezogen. Und jetzt – das Theatralische verschwand jäh – schlugen sie auch in der eigenen Wohnung auf der Wetterseite ein, es klirrte und krachte.

– Tommi, schrie Helga, schau du in der Küche nach!

Jo fing an zu schreien, klammerte sich an seine Mutter. Helga hob ihn hoch, nahm ihn auf den Arm und rannte mit ihm ins Bad. Der Hagel hatte die Scheiben eingeschlagen, Scherben und weiße Brocken lagen auf dem Boden. Hier war nichts mehr zu machen, schnell in die Küche zu Tommi. Tommi stand in Unterhosen auf dem Balkon, in einem Matsch aus Erde und zerschlagenen Blumentöpfen, rot angelaufen vor Kälte. Ein paar Töpfe hatte er noch in die Küche gerettet, nun versuchte er die Blumenkästen herauszuheben und nach innen zu schaffen.

Helga zerrte ihn zur Türe herein. Bist du wahnsinnig, wenn dich ein größerer Brocken trifft!

– Tommi, reinkommen, schrie auch Jo.

Dann, so schnell wie es begonnen hatte, hörte es auf. Als habe jemand den Hahn wieder zugedreht. Was blieb, war Verwüstung. Überall waren Aufräumungsarbeiten im Gang. Auf den Straßen sammelten sich die Autobesitzer, um die Schäden zu begutachten. Alle auf der Straße parkenden Autos waren zusammengedengelt und sahen aus, als hätten sie die Beulenpest. Der Hausmeister klingelte und nahm die Schäden auf, er hatte schnell reagiert. Das mit den Fenstern könne Wochen dauern, sagte er. So viele Handwerker, wie jetzt benötigt würden, gebe es in München gar nicht. Die müßten sie aus Hamburg einfliegen lassen!

Später saßen Helga und Tommi bei einem Tee zusammen, die Verwüstung war beseitigt. Jo war auf Tommis Schoß gekrochen. Unten im Hinterhof wurden ständig Scherben in die Tonnen gekippt.

Helga war stumm. Auch das noch! Weitere Kosten, weitere Probleme. Tommi tätschelte ihren Arm.

– Keine Sorge, ich bring das hier alles selbst in Ordnung. Für mich ein Leichtes, Glas und Kitt gibt es genug, nur die Handwerker fehlen, du hast es ja gehört.

– Tatsache, sagte Helga und sah ihn an. Das ist es! Das ist die Lösung unserer Probleme. Wiedergutmachung für den entgangenen Auftrag. Du machst das!

– Wie meinst du das denn?

Tommi war abwehrend, denn Helga guckte wie Mr. Yankee, der Freiwillige für die Army rekrutiert.

– Paß auf! Helga war aufgestanden. Du nimmst dein Werkzeug und ziehst los. Als ambulanter Handwerker. Von Haus zu Haus. In fast jeder Wohnung brauchen sie jetzt einen wie dich. Du reparierst, was so anfällt, holst die Fenster ab, richtest sie und bringst sie wieder zurück. Full Service. Da verdienst du jetzt mal gutes Geld, ich kann bei Jo bleiben, und wir sind trotzdem eine Zeitlang aus dem Schneider.

Helga wurde fröhlich, fast ausgelassen. Ging zum Kühlschrank und holte eine Flasche Prosecco. Die tranken sie leer.

Es geht nicht! Bringe es nicht fertig, dieses Familienidyll zu gefährden. Was, wenn die Reaktion kommt, die Doerenbach erwartet? Ein juristischer Hammer? Wenn es ihr an die Existenz ginge? Doerenbach hat noch eine andere Idee, meinetwegen! Das warte ich noch ab, aber ich habe den Eindruck, das wird alles nichts. Weil Doerenbach Angst hat.
Bin viel spazierengegangen und habe mir dabei Karmanns Villa angesehen. Photos gemacht. Liegt in einer ruhigen Seitenstraße, sehr gediegen. Um den Garten herum ein kleines Mäuerchen, Hecken, aber keine Hunde. Die Fenster allerdings sind vergittert. Er läßt sich morgens um sieben von seinem Fahrer abholen und nach Rüsselsheim bringen. Von seiner Frau ist noch nichts zu sehen, erst am späteren Vormittag. Sie haben eine Hausangestellte. Kauft ein und kocht. Kinder sind keine da. Abends gegen neun Uhr kommt Karmann wieder zurück. Weiß nicht, ob es einen allgemein verbindlichen Weg aus unserer Misere gibt. Unfähigkeit, den Widerstand zu organisieren einerseits, militärische Selbstverstümmelung andererseits. Aber es gibt meinen Weg! Habe mir eine Pistole besorgt. Nur eine Sportwaffe, Kaliber 22, einen Menschen erschießt man damit nicht. Ein Antiquitätenhändler in Griesheim handelt damit. Hat unter dem Ladentisch ein ganzes Sortiment. Zweitausend Mark bezahlt, fertig.

6. We begin bombing

Es war ein langgezogenes, empörtes, falsettartiges *Ahhh!*, das erst zum Schluß in die normale Tonlage und Lautstärke heruntergedimmt wurde.

– Du sollst nicht krähen, Gabor, sagte Martha Demeter vorwurfsvoll zu ihrem Mann und tunkte Löffelbiskuit in ihren Kaffee. Etwas anderes frühstückte sie nie.

– Man glaubt es nicht, Martha, rief Gabor erregt und schüttelte die Zeitung, die er mit beiden Händen auseinandergespannt hielt, daß sie wie eine Wetterfahne in strammem Wind schnalzte und krachte. Gabor verfiel wieder in erregtes Falsett: *I'm pleased to tell you today that*

I have signed legislation that would outlaw Russia forever. We begin bombing in five minutes ...

– Wer soll das gesagt haben? fragte Martha mißtrauisch und blickte von der Magazinbeilage auf, die sie gefaltet neben ihren Teller gelegt hatte.

– Reagan. Bei einer Mikrophonprobe auf seiner Ranch in Santa Barbara. Hier steht es.

– Ein dummer Scherz, nichts weiter.

– Wie kann ein Mensch nur so ungebildet und blöd herumschwätzen wie du!

Gabors Schläfenader schwoll an, so dick, als würde sie platzen. Er knüllte die Zeitung zusammen und warf sie auf den Boden.

Martha zog die Brauen hoch und tunkte den angebissenen Löffelbiskuit in den Kaffee. Resigniert fiel Gabor in sich zusammen. Mit ausgestreckten Handflächen wies er auf den reich gedeckten Frühstückstisch: Brötchen, Schinken, Leberwurst und Paprikasalami.

– Das ganze Frühstück ist mir verleidet.

Sein Ton war mitleidheischend geworden.

– Gabi, sagte Martha, du mußt etwas zu dir nehmen.

– Ach, jammerte Gabor, ich habe keinen Appetit mehr.

Gabor zog die Brille von der Nase und begann, die dicken Gläser am Tischtuch zu putzen. Dabei kniff er die Augen zusammen, streckte den Kopf nach vorne und suchte den Tisch ab, als könne er Lebensmittel wittern. Dann fuhr er sich mit beiden Händen kratzend über seine Glatze wie durch einen dichten Pelz und kämmte mit den Fingern seinen weißen Haarkranz nach hinten.

Da klingelte das Telephon. Dankbar für die Unterbrechung stand Gabor auf und nahm ab.

– Ja bitte!

Gabor stand leicht vorgebeugt zum Telephonapparat hin, um möglichst nahe an der Quelle des Gesprächs zu sein, und hielt sich mit der flachen Hand das andere Ohr zu. Damit er nichts überhörte. Von der Seite war zu sehen, daß Gabors kahler Schädel oben eine Art

Höcker bildete, bevor er dann abgeplattet in einem schrägen Plateau in den Hinterkopf überging, den sein dichter, weißer Kranz zierte. Er war klein, trug eine beige Hose, die weit über seinen Bauch hochgezogen war, wo sie ohne Hosenträger saß. Am Bund waren Metallclips, um ihn gegebenenfalls weiter machen zu können. Sein Hemd war weiß, kurzärmlig, und der aufgeschlagene Kragen war sorgfältig gebügelt. Auch die Socken waren weiß, die Sandalen in zur Farbe der Hose passendem Beige.

– Ja, ich bin Demeter und habe Ihnen diesen Artikel über Karmann angeboten. Sind Sie der zuständige Redakteur? — Hören Sie, die Sache ist einfach die: Karmann wird aller Voraussicht nach zum Präsidenten des Deutschen Industrietages gewählt werden. Wenn Sie den Artikel gelesen haben, wissen Sie, daß Karmann ein Nazi gewesen ist. Kein Mitläufer, sondern Aktivist. SS-Kommandant, verstehen Sie? Er hat die Erschießung von gut sechzig Geiseln angeordnet. Frauen, Kinder, ältere Leute, keine Partisanen, keine Bewaffneten... — Es gibt Augenzeugen. Das alles ist beweisbar, was ich geschrieben habe. Hundertprozentig. — Sie überlegen sich das erst noch? Bitteschön, ja, tun Sie das, und bestellen Sie Ihrem Chefredakteur einen Gruß von mir! — Ganz meinerseits, auf Wiederhören!

Gabor warf den Hörer auf die Gabel.

– Hosen voll! Der macht das nicht!

– Warum sagst du ihnen nicht, daß du im KZ warst? Das würde alles in ein anderes Licht rücken. Du könntest jeden Artikel schreiben, wenn sie das wüßten.

– Weil ich genau das leid bin. Ich will nicht immer auf dem Judenticket fahren müssen. Karmann ist ein Mörder, ein Nazi, ein Schwein – es geht um Tatsachen, nicht um das Schicksal dessen, der das aufdeckt. Und ich will, daß die das endlich einmal anerkennen. Weil es die Wahrheit ist. Ganz einfach.

War es das? Der Artikel ist erschienen, Reaktion gleich Null. Inzwischen ist Karmann Präsident des Deutschen Industrietages. Niemand steht auf und stellt sich gegen ihn. Er ist ein Verbrecher. Klar, ich weiß, es ist etwas Furchtbares, gegen einen Menschen die Hand zu erheben. Aber noch furchtbarer ist, einen, der so viel Schuld auf sich geladen hat, ungestraft zu lassen. Das kann einfach nicht möglich sein.

7. Verkehrt herum

Karmann hatte mit einigen Kollegen aus dem Vorstand des Deutschen Industrietags im Frankfurter Hof zu Abend gegessen. Beherrschendes Thema war Reagans deutlicher Wahlsieg gegen Walter Mondale. Reagans Wirtschaftspolitik würde weiter an Kontur gewinnen und könnte exemplarischen Wert bekommen. Mit Erleichterung wurde das Auseinanderbrechen des rot-grünen Bündnisses in Hessen zur Kenntnis genommen. Börner war fällig, eine Minderheitsregierung war nicht wirklich zu führen.

Karmann ließ sich anschließend von seinem Fahrer in sein Haus bei Bad Homburg bringen. Es war bereits nach Mitternacht. Der Chauffeur wartete, bis Karmann in der Haustüre verschwunden war. Karmann trank am Kühlschrank noch ein letztes Bier vor dem Schlafengehen. Dunkles Bockbier als Absacker. Die Schuhe hatte er bereits an der Garderobe abgelegt, denn seine Frau schlief schon.

Im Schlafzimmer brannte seine Nachttischlampe, dezent abgedunkelt, daß das Licht seine schlafende Frau nicht störte. Karmann trug schon seinen Schlafanzug, legte sich sachte ins Bett und stellte dann fest, daß ihm schwindlig war. Vielleicht hatte er doch zuviel getrunken. Er hatte den Eindruck, daß das Fußteil des Bettes höher lag als das Kopfteil. Die Matratze ließ sich zwar regulieren, aber Karmann wußte nicht, wie. Seine Frau aufzuwecken, wagte er nicht. Unschlüssig stand er vor dem Bett. Er hatte zuviel getrunken. Kurz entschlossen legte er das Kopfkissen nach unten und schlief verkehrt herum ein.

Alles weitere berichtete die *Allgemeine* so: Beide Schlafzimmerfenster waren vergittert, allerdings lag Karmann dem offenen Fenster zugewendet. Das alles schien die Person zu wissen, die morgens gegen fünf Uhr dreißig in den Garten des Anwesens eindrang. Vielleicht waren es auch mehrere, mutmaßte die Polizei. Eine Klappmetallleiter, wie sie in jedem Baumarkt erhältlich war, wurde unter dem offenen Fenster aufgestellt. Von dort hatte man nun Einblick in das Schlafzimmer. Allerdings war es noch dunkel, so daß die Person kaum bemerkt haben dürfte, daß Karmann verkehrt herum lag. Drei Schüsse wurden abgegeben, einer zerfetzte die Beckenschlagader, so daß Karmann starb. Wäre die Beckenschlagader nicht getroffen worden, wären die Schüsse nicht tödlich gewesen. Es dauerte wenigstens dreißig Minuten, bis Hilfe kam, denn das Telephonkabel war gekappt worden. Die Waffe wurde kurz darauf an der Autobahnauffahrt Bad Homburg – Frankfurt gefunden. Profis werfen ihre Waffe nie weg, das war einer der wenigen Hinweise auf den oder die Mörder. Bei der Waffe handelte es sich um eine Sportpistole Kaliber 22 *High Standard, Modell 103 Long Rifle* mit einem zehnschüssigen Magazin. Diese Waffe war, zusammen mit anderen, aus einem US-Depot bei Butzbach entwendet worden. Allerdings wurde die Pistole auf dem illegalen Markt angeboten, konnte also schon durch verschiedene Hände gegangen sein.

Karmann wurde eine Woche später mit einem Staatsbegräbnis beerdigt.

Ein Bekennerbrief tauchte nirgendwo auf. Auch in einschlägigen Szeneblättern war nichts zu finden.

Warten, warten. Wann kommen sie?

8. Alexandrowitsch Solowjew

Bärloch warf die *Allgemeine* auf den Tisch. Früher hatte man ihm als erstem berichtet, wenn es um Fälle wie Karmann ging, jetzt erfuhr er davon nur noch aus der Zeitung. Bärloch ließ sich ins Amt fahren. Dort hatte man ihm ein kleines Büro zugewiesen, das er sporadisch besuchte, um an PIOS arbeiten zu können. Das Büro lag in einem Trakt, in dem sich Hellmann, sein Nachfolger, und er nie begegnen würden. Bärloch war nach der Zeitungslektüre wie elektrisiert. Er hatte vorausgesehen, daß neues Unheil bevorstand. Aber das Vorgehen war anders als sonst. Ungestüm und dilettantisch. Hier zeigte sich eine ganz neue Handschrift, mit der er es bislang noch nicht zu tun gehabt hatte. Es war eine Tat wie eine Aufwallung. Eine kaum gezügelte Empörung. Direkter wäre nur gewesen, Karmann auf offener Straße zu stellen. Der Täter war ohne Umschweife einen geraden Weg gegangen. Sein Vorgehen war von strategischer Kälte unbeeinflußt. Der Täter hatte sich eine Pistole und eine Klappleiter besorgt und durch das Fenster auf einen Schlafenden geschossen.

Bärloch faßte, was er von dem Täter wußte, in einem Persönlichkeitsprofil zusammen und ließ seinen Rechner mit diesem Suchmuster alle Personendateien überprüfen. *Alexandrowitsch Solowjew* meldete der Rechner. Bärloch war zunächst verärgert über den Fehlversuch und die vertane Rechenzeit. Er hatte nicht daran gedacht, seine historischen Dateien von der Suche auszuschließen. Dann aber, nach einiger Überlegung, fand er, daß ihm doch ein wichtiger Hinweis gegeben worden war, vielleicht sogar eine Spur.

Solowjew kommt aus der Bewegung der *Volkstümler*. Er studiert, wird Lehrer, gibt dann alles auf, um achtzehnhundertfünfundsiebzig als Schlosser *ins Volk zu gehen*. Aber die Bauern verstehen nichts. Statt dessen liefern sie die jugendlichen Revolutionäre der Polizei aus. Tief enttäuscht und deprimiert kehrt er vier Jahre später nach Petersburg zurück. Aufgeben? Niemals! Einen Schritt weiter gehen, zur Ursache vordringen! Er schert aus, will nicht auf die gemeinsame Aktion warten, sondern den Zaren ganz allein beseitigen. Komplizierter Vorbereitungen bedarf es nicht. Der Zar pflegt morgens spazierenzugehen. Jeder kennt den Weg, man muß sich nur eine Pistole beschaffen. Solowjew wartet. Endlich ist es soweit. Aus seinem Versteck heraus sieht Solowjew Alexander kommen. Er läßt ihn passieren, er muß ihn von hinten erschießen, weil er Zeit braucht, um ungestört anlegen zu können. Trotzdem geht der erste Schuß fehl. Alexander wirft sich zu Boden. Den Fangschuß erwartend, schaut er sich um. Er sieht einen jungen Menschen, der damit beschäftigt ist, seine Pistole nachzuladen. Mit dem geübten Blick des Soldaten erkennt der Zar sofort, daß ein Dilettant am Werk ist. Er springt auf, duckt sich und läuft im Zickzack zum Winterpalast zurück. Solowjew folgt, schießt viermal hinter ihm her. Vergeblich, der Zar ist in Sicherheit. Für den Fall des Scheiterns trägt Solowjew eine Giftampulle unter der Achselhöhle, die mit Wachs befestigt ist. Aber auch das schlägt fehl, das Gift wirkt nicht, Solowjew wird noch in Palastnähe gefaßt und später hingerichtet.

Bärloch fand den Tätertypus gut getroffen. Eine solche Aktion konnte gar nicht von denen kommen, die sich schon so lange in der Illegalität aufhielten. Die planten nach dem Muster des Kriegs. Zum Erreichen ihres Ziels war feindliches Terrain zu erobern. Dazu kam, daß der Mord allen Anzeichen nach unbeabsichtigt gewesen war. Karmann war verkehrt herum im Bett gelegen. Alle Schüsse trafen dort, wo der Täter die Beine vermuten mußte. Eine Bestrafung war beabsichtigt, keine Exekution. Auch das sprach gegen eine Aktion der RAF. Natürlich unterliefen ihnen Fehler. Aber sie hätten schon von der Anlage der Tat her das Risiko einer unbeabsichtigten Tötung besser kontrolliert. Keine Schüsse in dunkle Zimmer hinein. Auch tauchte kein Bekennerbrief auf. Nie wurde die Tat gerechtfertigt. Sie war also nicht zu rechtfertigen, weil sie mißlungen war. Deshalb war Bärloch von Anfang an sicher, daß keine der bekannten Figuren dafür in Frage kam.

Der Fall wurde Bögel und Tillmann übergeben. Im Prinzip tüchtige Ermittler, aber sie bekamen nichts gebacken. Bärloch verfolgte über das System alle ihre Schritte. Das Motiv schien klar, hier war man auf keine Mutmaßung angewiesen. Einen Monat vor Karmanns Tod war in einem linken Blatt ein Artikel von Gabor Demeter erschienen: *Ein Mörder macht Karriere*. Dieser Artikel begründete die Tat, auch wenn Demeter selbst mit ihr nichts zu tun hatte. Demeter war alt, Demeter war Jude. Deshalb gaben Bögel und Tillmann die Spur auf. Ein Fehler, fand Bärloch, denn man mußte doch die Hinweise weiterverfolgen, die von ihm ausgingen. Die beiden fürchteten den politisch-moralischen Druck. Dabei stand in einem Vernehmungsprotokoll zu lesen, daß Demeter das Material zu diesem Artikel von Doerenbach, einem Fernsehredakteur beim Hessischen Rundfunk, bekommen hatte. Doerenbach wiederum hatte erklärt, es stamme von Jakob Amon, einem seiner freien Mitarbeiter. Man habe sich als Featureredaktion für einen Beitrag über den Fall nicht zuständig gefühlt. Bei dem Namen Amon stutzte Bärloch. In der Tat war Amon einer von denen, die der gewaltbereiten Szene zugeordnet wurden. Er stand unter beobachtender Fahndung und war an gewalttätigen Demonstrationen gegen die Startbahn West beteiligt gewesen. Er würde sich, so die Prognose, mit großer Wahrscheinlichkeit von der RAF rekrutieren lassen.

Der Rest war einfach: Bärloch recherchierte weiter in BEFA, wo sich Jakob Amon aufgehalten hatte. Er war im Oktober in Frankreich, später dann in Spanien und anschließend – Anfang November – in Portugal eingereist. Am Montag, dem sechsundzwanzigsten November, vier Tage vor Karmanns Tod, überschritt er die Grenze nach Spanien, am Dienstag traf er in Frankfurt ein. Am Freitag, an dem die Tat begangen worden war, langte er wieder in Sevilla an. Natürlich per Flugzeug. Bärloch studierte die Passagierlisten. Jakobs Name befand sich nicht darunter. Mein Gott, er war unter falschem Namen, aber mit seinem Paß aus- und eingereist. Was für ein Dilettant! Nun war Bärloch sicher: Jakob Amon war der Täter.

II. Heute

Damals wurde gehandelt, heute wird es aufgearbeitet. Aber in diesem ganzen Haufen von Büchern ist nur Unsinn! Alle kommen zur selben Auffassung, aber das macht sie nicht richtiger. Tatsächlich haben sie nicht nur großen Mut bewiesen. Auch ihre Gedanken waren klar. Es beginnt wie bei uns: Natürlich steht am Anfang die Verneinung. Zwangsläufig. In ihrer ungetrübten Opposition erkenne ich meine damalige Haltung wieder. Deshalb werden sie Nihilisten genannt! Menschen, die sich vor keiner Autorität beugen und kein Prinzip auf Treu und Glauben annehmen. Netschajew sagt: »Wir widmen uns ausschließlich der Zerstörung der herrschenden Gesellschaftsordnung. Um den Aufbau einer neuen kümmern wir uns nicht. Das ist Sache derer, die nach uns kommen.« Diese Haltung ist Salonphilosophie, so kann man theoretisieren, aber nicht handeln! Dadurch wird die Bezeichnung Nihilismus irreführend. Irrational, verwirrt, geradezu abwegig. Das Wenige an Information, das noch an uns gekommen ist, ist falsch. Man belegt sie mit dem Verdikt von mephistoartigen Neinsagern, weil die Heftigkeit und die Hartnäckigkeit ihres Widerstandes alle Vorstellung übersteigt. Natürlich erstreben sie etwas. Sie sind keine gelangweilten Adeligen, die einer Mode frönen. Die Nihilisten lehnen jeden Schnickschnack ab, sagt Kropotkin. Sie betonen das Einfache, ja, Ungehobelte. Verzichten auf jeden Komfort, kleiden sich in grobe Wollstoffe und schneiden ihr Haar kurz. Konventionelle Redeweise ist ihnen zuwider, sie drücken sich ungeschminkt und direkt, ja geradezu affektiert rauh aus. Ihre Idee von Volkstümlichkeit. Und sie studieren und lernen. Wissen und Wahrheitsliebe sind ihre Leitvorstellungen. Aber sie enden tragisch. Ja, sie sind Gewalttäter, aber was heißt das schon? An Stauffenberg, Goerdeler, Elser und den anderen zieht sich die Nachkriegsgesellschaft hoch, gerade weil sie die gewaltsame Beseitigung Hitlers versucht haben. Das endgültige Urteil sprechen nie die Zeitgenossen. Heute ein Verbrechen, morgen eine Heldentat. Mit diesem Widerspruch muß der Attentäter ganz alleine fertig werden. Durch seine Moral, die er gegen die herrschende setzt. Aber die Berechtigung seiner Tat ist eine Frage ihrer historischen Funktion. Nützlich oder nicht? Das löst nie den Konflikt von jemandem, der glaubt, handeln zu müssen. Eine letztgültige Einschätzung kommt immer zu spät. Der gute Attentäter ist ein Toter. Die Gewalt, die er herausgefordert hat, bezahlt er mit seinem Leben. Wenn man aber überlebt? Fast fünfzehn Jahre später gibt es nur noch auszehrenden Zweifel. Alles ist anders geworden. Die Bewegung und ihr Projekt obsolet. Historisch geworden! Damit hat sich auch der eigene Antrieb relativiert. Die Grundlage ist ihm entzogen. Man verliert jeden Halt, stürzt ins Bodenlose.

1. Die Bibliothek des Attentäters I

Diese letzte Stunde ist quälend. Eine Folter. Träge tröpfeln die Sekunden. Und dazu diese verordnete Stille des Lesesaals. Ruhig ist es dennoch nicht, ständig werden Geräusche gemacht, aber es gibt eben kein freies Abhusten, Durchatmen oder kräftiges Schneuzen, nur gedämpfte, gehemmte, verstümmelte Laute, die das Bedauern, daß es sie überhaupt gibt, schon in sich tragen.

Der weißhaarige Herr vor mir schläft. Zuvor riß er gähnend den Mund auf, daß der Kiefer knackte. Dann gab er auf, und das asthmatische Rasseln seines Atems wurde langgezogener und ungehemmter. Hinter mir sitzt ein amerikanischer Student. Er exzerpiert, klopft dazu die Notizen direkt in seinen *Mac* und zischt englische Flüche dazu.

– Zehn Minuten noch! Wir schließen um acht Uhr.

Die Bibliothekarin läuft mit strenger Miene durch die Regal- und Tischreihen und scheucht die letzten Besucher des Lesesaals auf. Endlich! Alle stehen rasch auf, raffen ihre Gerätschaften zusammen, knipsen das Lämpchen am Arbeitstisch aus und stellen sich an der Garderobe an. Auch ich packe zusammen, aber so langsam, daß ich als letzter mein Licht löschen kann. Statt zur Garderobe zu gehen, verdrücke ich mich nach hinten in die Ecke zu den massiven Metallkästen des Schlagwortkatalogs. Bald ist alles leer. Auch die Bibliothekarinnen haben schon ihre Mäntel und Taschen bereitgelegt und verabschieden sich.

Fast eine halbe Stunde lang hocke ich, an einen Heizkörper gekauert, hinter den Metallkästen. Ein pochender Kopfschmerz meldet sich. Am Scheitel habe ich eine Beule. Noch gestern war es eine derart massive Schwellung, daß es aussah, als wolle mir ein siamesischer Bruder aus dem Kopf wachsen.

– Contergan, oder? fragte die Verkäuferin beim *Tengelmann* mit wachem Blick für mein Alter. Da ich nichts sagte, legte sie mir aus Mitleid eine extra dicke Scheibe Leberkäse zwischen die aufgeschnittene Semmel.

Inzwischen hat sich der Auswuchs zu einem langgezogenen Höcker zurückentwickelt und polstert meinen Schädel zum Eierkopf auf. Probleme habe ich genug, deshalb habe ich das Ding fast vergessen. Aber mit der Aufregung kommt auch der Schmerz wieder. Ich bin nervös. Dazu dieser Heizkörper im Rücken! Ich schmore wie damals im Kindergarten, als ich wollene Strumpfhosen tragen mußte und nie ausziehen durfte. Ein Gefühl wie in einer Zwangsjacke!

Machen die womöglich noch einen Kontrollgang? *Shit happens!* Beim Ausmalen solcher Möglichkeiten bin ich erfinderisch. Deshalb meint Pete, ein Freund von mir, mit mehr Kaltblütigkeit hätte aus mir ein genialer Hacker werden können. Mag sein, aber die Zeit, mich über jede einzelne meiner Macken zu grämen, ist vorbei. Ich gehe auf die vierzig zu, und die Kunst besteht zunehmend darin, die bekannten Klippen geschickt zu umschiffen. Ich nehme zur Nervenstärkung homöopathische Medikamente, Johanniskraut zum Beispiel oder Baldrianperlen. Damit läßt sich einiges ausgleichen. Ohne läuft es nicht mehr so rund. Bilde ich mir zumindest ein. Leider liegt das ganze Arsenal dieser Stützmittel in meinem verwüsteten Arbeitszimmer irgendwo unter Papieren, Büchern oder Schubladen begraben.

Ich klemme die Tasche mit meinem Notebook zwischen die Beine, lege die verschränkten Arme auf die Knie und bette den Kopf darauf. Alles kommt, wie es kommen muß!

Punkt acht! Das Licht wird ausgeschaltet und die gläserne Eingangstüre geschlossen. Gott sei Dank! Der Hausmeister legt letzte Hand an. *Herr Zinsmeier*. Durch handgeschriebene Hinweise und Zusatzvorschriften hat er seinen Namen in der ganzen Bibliothek verbreitet. Das von Innenarchitekten ausgeklügelte, farblich aufeinander abgestimmte System von Informationen und Wegweisern empfindet er offenbar als mangelhaft. Nirgendwo ist geregelt, wie Klorollen und

Papierhandtücher nachbestellt werden können, was passiert, wenn der für Glas vorgesehene Behälter überquillt und wo Fundsachen abzuholen sind. Daher klebt er Zettel: *Bitte den Hausmeister Herrn Zinsmeier im Untergeschoß U1 Zimmer 001 verständigen!* Seine Arbeitsauffassung rührt von einer Zeit her, in der sich Leute seines Schlages noch als *Offizianten* bezeichnen durften; Unterbeamte mit eigenständigem Aufgabenbereich, die ihren grauen Kittel wie eine Uniform trugen. Zinsmeier steht bereits in Stiefeln, Schal, pelzgefütterter Mütze und Jacke da und knöpft sich im Licht stehend umsichtig zu, um gut verpackt ins Freie treten zu können. Dann erst sperrt er ab und rüttelt noch mal zur Kontrolle an der großen Schwingtür. Durch die breite Glasfront hindurch sehe ich, wie es schließlich auch im Foyer dunkel wird; er verschwindet durch die Gänge des Vorbaus und löscht dabei ein Licht nach dem anderen. Ich kann aufstehen.

Endlich bin ich allein in der Zentralbibliothek.

Durchs Fenster verfolge ich seinen Weg weiter. Er tritt ins Freie, schlägt seinen Kragen hoch, geht zum Parkdeck, *Reserviert für Personal*, läßt den Motor seines Wagens an und beginnt das Eis von den Scheiben mit einem Kratzer zu entfernen, an dessen Griff ein Handschuh befestigt ist.

Sieben Stunden bin ich schon hier. Bis jetzt ist alles gutgegangen. Heute nachmittag ging ich zu Frau Schlehbusch an die Informationstheke, um sie auszuhorchen. Frau Schlehbusch ist eine freundliche ältere Dame. Wir kennen uns. Betrübt schaute sie auf einen Stapel von Büchern, die in einer grauen Plastikbox lagen. Auf gelbes Klebeband hatte jemand *Beschädigt!* geschrieben. Sie nahm eines heraus, der Rücken war gebrochen und ausgeleiert, einige Seiten waren lose, alle waren sie braun gerändert, als habe man jede einzelne angekokelt. Sie waren von lappenartig weicher Konsistenz.

– So ein Jammer!

– Müssen Sie das jetzt auch schon machen?

Frau Schlehbusch schüttelte den Kopf. Das meiste komme in die hauseigene Binderei. Aber ein paar Sachen mache sie selbst. Gerne sogar. Sie habe Buchbinderei gelernt. Früher sei das mal eine Kunst gewesen.

Ich ließ sie reden und pirschte mich an mein eigentliches Anliegen heran. Ob denn die bibliophilen Schätze hier sicher seien?

– Wir haben den Wachdienst von der *Civitas*. Die kommen mindestens einmal in der Nacht.

Genau das wollte ich wissen.

Civitas – sie tragen ein messingfarbenes Metallschild an der Brust, ein Emblem mit verschlungenem C. Die überwachen viele städtische Gebäude. Es sind zumeist ältere Herren in grauem Hemd, grauer Hose und Jacke, mit grauer Dienstmütze, die durch das dauernde Tragen am Kopf festgewachsen zu sein scheint, Portiertypen mit großen Taschenlampen, bleich und mürbe vom ständigen Nachtdienst. Dagegen sehen ihre Kollegen von der U-Bahn-Truppe wie Fremdenlegionäre aus. Blaue Baskenmütze, blaues Hemd, vom Nacken zum Hinterkopf blank rasiert. Um den Leib einen breiten Ledergürtel mit Futteralen geschnürt: Schlagstock, Revolver, Sprechfunk und Metallbehälter. Gewichste Stiefel, messerscharf gezogene Bügelfalte und zwischen den Beinen eine beutelartige Ausbuchtung, als gehöre ein Suspensorium zur Dienstkleidung. Gut, daß die nicht eingeteilt sind! Bestimmt sind Kontrollen der *Civitas* reine Routine. Vollkommen ungefährlich. Außerdem vermutet niemand einen Eindringling in der Bibliothek. Auch Schlägereien und randalierende Betrunkene sind dort nicht zu erwarten. Da genügt der Portier.

Endlich steigt Zinsmeier in den Wagen. Seine Umständlichkeit ist nervtötend. Ich will endlich loslegen! Er setzt sich seitlich auf den Vordersitz, hebt die Beine an und schlägt den Schnee von seinen Stiefeln. Klapp! geht die Fahrertüre zu, und er stemmt sich vom Sitz hoch und streicht hinten seine Kleidung zurecht, daß er nicht auf einer Falte sitzen muß.

Mühlradartig geht mir eine Episode aus *Tausendundeine Nacht* im Kopf herum: Ein alter, schwacher Mann sitzt am Straßenrand und bittet einen jungen, er möge ihn ein Stück Wegs tragen. Der ist angerührt von der Not des Alten und nimmt ihn auf die Schultern. In diesem Moment umschlingt ihn der Alte von hinten mit eisernem Griff. Der Junge hat sich einen Dämon aufgeladen, der ihm seinen Willen aufzwingt. So wird er Reittier und Sklave, der Alte gönnt ihm keine Erholung, piesackt ihn Tag und Nacht; er ist an ihm wie ein Buckel festgewachsen. So ein böser Geist sitzt auch mir im Nacken und hat mich in diese gefährliche Geschichte hineingeritten. Leider habe ich das Ende dieser Episode vergessen: Wie wird man solche Dämonen wieder los?

Endlich fährt Zinsmeier an, durch seine schweren Stiefel unsensibel geworden, mit soviel Gas, daß der Wagen seitlich weggleitet. Schlingernd und stotterbremsend steuert er die Ausfahrt vom Parkdeck zur Straße hinunter an. Dort hält er an. Von oben sehe ich, daß der Grund seines Zögerns Angst ist. Er fürchtet, beim Hinunterfahren die Spur nicht halten zu können und gegen die betonierten Seitenwände gedrückt zu werden. Weg, ab mit dir! Gerne hätte ich seinem Auto einen Tritt versetzt. Und jetzt? Um Himmels willen, nein! Er steigt aus und kommt zurück. Was hat dieser Mensch jetzt noch vor? Ich höre, wie unten wieder die Türe aufgesperrt wird. Um mich zu verstecken, setze ich mich diesmal auf das Fensterbrett und ziehe den Vorhang weiter zu. Das ist bequemer. Draußen schneit es schon wieder. Der Winter ist heuer schon früh zur Sache gekommen und hat jetzt im Dezember alles fest im Griff. Dicke, schwere Flocken schweben herunter, tauchen aus dem dunklen Grau der Nacht in den warmen Lichtkegel der Straßenbeleuchtung ein. Die Mauer- und Dachkonturen sind vom Schnee gerundet und geglättet, da draußen ist ein Wetter, als müsse die ganze Unordnung dieser Welt weiß eingepackt werden!

Aus dem Fenster zu gucken und mich in dem Anblick da draußen zu verlieren, ist eine Versuchung. Sofort kommen Sehnsüchte hoch und klammern sich an Erinnerungen: warme Stuben, heiße Herde, meine Mutter, die Teig knetet, Plätzchendüfte und Nelken-Zimt-Aromen. Kinderbilder, die in mir hochpoppen und schon platzen, bevor ich sie anfassen kann. Ich tue mir leid. Ich habe mich in der Bibliothek einsperren lassen, um meinen Verfolgern auf die Spur zu kommen. Ich bräuchte Hilfe und muß doch alles auf eigene Faust unternehmen. Ich bin abgehetzt, ausgelaugt, am Kopf lädiert. Fast zwei Tage lang habe ich mich wie ein Obdachloser in der Stadt herumgetrieben. Ständig auf der Suche nach geschützten, warmen Plätzen. Zurück in meine Wohnung? Ich bin doch nicht lebensmüde! Nur heute früh wurde die Rückkehr unumgänglich, ich schlich hinein, verstohlen wie ein Einbrecher, mit dem Gefühl, eine Revolvermündung im Nacken zu haben, und holte mein Notebook heraus. Zur Durchführung meines Plans brauche ich es dringend, anschließend tauchte ich schnell wieder ab.

Die Nacht zuvor verbrachte ich in Helgas Wohnung. Im Schutz der Dunkelheit schloß ich mich ein, ohne Licht zu machen. Helga ist weg, auf Dreharbeiten außerhalb, das kann dauern, deshalb hat sie mir ihren Schlüssel vorbeigebracht. Ich möge ihre Pflanzen versorgen. Ich vergrub mich in ihrem Bett. Dort fühlte ich mich sicher und konnte endlich wieder ruhig schlafen. Helga weiß noch immer nicht, was mir in der Zwischenzeit widerfahren ist. Verständigen kann ich sie nicht, ich habe keine Nummer von ihr. Einen Brief in ihrer Wohnung zurückzulassen ist zu gefährlich. Womöglich dringen sie auch in ihr Appartement ein und durchkämmen es. Ich will Helga nicht mit hineinziehen, auch wenn sie eigentlich schuld an der Scheiße ist, in der ich jetzt stecke. Wenigstens habe ich Seggermann noch abgesagt. Trauerfall! Normalerweise hätte ich an diesem Abend Taxi fahren sollen. Die Nachtschicht. Das Geld habe ich bitter nötig, aber daran ist im Moment nicht zu denken. Am Wochenende habe ich wieder Dienst im Kino. Filme einlegen. Spätestens da muß ich wieder auftauchen, diese Frist habe ich mir gesetzt. Lange kann ich das ohnehin nicht mehr durchhalten. Zumindest nicht ohne Helgas Hilfe.

Unten am Boden bei den Karteikästen raschelt es. Gibt es hier Ratten? Deshalb wohl die Hinweisschilder im Untergeschoß bei der Cafeteria: *Vorsicht, Gift!*

Ich fröstle. Durch das Fenster sickert Kälte. Wahrscheinlich wird nun die Temperatur der Zentralheizung automatisch heruntergefahren. Aber ich habe ja noch meinen Mantel dabei. Und belegte Brote. Im Grunde genommen ist die Bibliothek kein schlechter Ort zum Überleben. Es gibt Bücher und Zeitungen, man kann sich unterhalten, es gibt Toiletten, Schreibgelegenheiten und Verpflegung zu zivilen Preisen. Sollte ich je auf der Straße liegen, werde ich mich in der Zentralbibliothek einnisten. Hunger habe ich nicht. Aber Essen ist eine einfache und angenehme Möglichkeit, sich etwas Gutes zu tun und die Zeit herumzubringen. Das brauche ich jetzt. Meine Sandwiches sind mehrfach mit Folie umwickelt: paniertes Putenschnitzel auf Mayo mit Salatblatt und Tomatenscheiben. Da gibt es nichts zu meckern. Außerdem muß ich noch mal Kraft schöpfen, die Nacht wird lang werden.

Wo ist Zinsmeier? Durch die Glastüre hindurch sehe ich einen schwachen Lichtschein. Die Hölle für solche Menschen soll sein, daß sie später einmal nur noch mit ihresgleichen zusammensein dürfen. Eine Horde von Graukittligen, die ein sauber verschnürtes Futteral mit Universalwerkzeug in der Brusttasche tragen und einen Bleistift hinters Ohr geschoben haben. Einer tüchtiger als der andere!

In meiner Kinderzeit hat mich oft meine Großmutter abgeholt. Aus der Stadt zu ihr aufs Land, um dort die Ferien zu verbringen. Natürlich fuhren wir mit dem Zug. Eile konnte Großmutter nicht ertragen, deshalb waren wir immer zu früh am Bahnhof und warteten. Sie hatte das Gepäck neben sich gestellt und saß nicht mit damenhaft eng aneinandergelegten Beinen, sondern hielt sie so auseinandergespreizt, daß sich der weite schwarze Rock dazwischen aufspannte. Ihre Hände lagen gefaltet im Schoß, ihr Kopf war gesenkt. Sie wartete mit einer stillen Inbrunst, ganz diesem Zustand hingegeben, ohne Ablenkung zu suchen. Wenn die Zeit um war, kehrte Leben in sie zurück, sie erhob sich, strich Rock und Haare zurecht und lächelte mich wie zur Begrüßung an, als würde sie mich erst jetzt wieder wahrnehmen. Sie war erholt und gekräftigt.

Wenn mir doch auch diese Fähigkeit gegeben wäre! Warten ist eine erzwungene Untätigkeit. Sie reibt mich auf. Handeln macht vieles vergessen, durch Untätigkeit bricht alles Bedrängende wieder durch. Meine Überlegungen und Mutmaßungen kreisen um eines: Vor etwa vier Wochen ist Jakob Amon in seiner Wohnung umgebracht worden. Man hat ihn mit einem Hammer erschlagen. Jetzt, so fürchte ich, sind die Mörder hinter mir her. Was hinter dieser Tat steckt, kann ich nur ahnen.

2. Meyers Novellen

Ich habe Jakob Amon vor drei Jahren kennengelernt. Ich mochte ihn und war mit ihm befreundet, soweit er es zuließ. Er hielt alle auf Distanz. Bücher haben unsere Bekanntschaft gestiftet und zusammengehalten, sein Verhältnis zu Gedrucktem war wie meines. Gelegentlich löse ich Nachlässe auf. Als Nebenjob. Ich habe einen Blick dafür, welche Möbel antiquarisch zu verwerten sind, was unbrauchbarer Müll ist. Bücher hingegen sind nie wertlos. So lange sie anonyme, gebundene Papierhaufen bleiben, kann ich mich leicht von ihnen trennen und gebe sie an Händler zum Kilopreis weiter. Schwierig wird es, wenn ich hineinblättere. Dann muß ich mich für oder gegen ihren Inhalt entscheiden. Nimm mich, ruft das Buch. Und ich gehorche. *Balzac* oder *Rilke* in die Tonne zu werfen, das ist doch wie eine Abtreibung!

Früher habe ich Bücher geklaut. Aus politischen Gründen, um Wissensmonopole zu brechen, so hat man das gerechtfertigt. Tatsächlich ist mein Verhältnis zu Büchern ein magisches: Durch Besitz verleibe ich sie mir ein. Die Lust am Lesen ist dabei auf der Strecke geblieben. Das Überfliegen der Seiten genügt mir, ich glaube zu verstehen, worum es da geht. Querlesen, so läßt sich das beschönigend als Fähigkeit verkaufen. Tatsache ist, daß ich seit *Bomba, der Dschungelboy* und *Winnetou I–III* kein Buch mehr zu Ende gelesen habe. Früher war Lesen eine Sucht. Jeden Samstag stand ich in der Pfarrbücherei. Anschließend habe ich eine mit Büchern vollgepackte Tasche wie einen Schatz nach Hause geschleppt und konnte es kaum erwarten, mich darüber herzumachen. Stundenlang habe ich gelesen und so heftig, daß ich vom Buchstabenfressen den Baum vor dem Fenster nicht mehr fixieren konnte: Er tanzte mir vor Augen.

Abends nahm mir meine Mutter das Buch ab, daß ich endlich aufhörte und einschlief.

Bei einem kleinen, vielleicht zwölfjährigen Jungen bin ich dieser Leselust wiederbegegnet. Er saß in der Bibliothek auf dem Boden und war an eine der Säulen gelehnt, so daß er von den anderen Besuchern abgeschirmt war. Er hielt das Buch fest umklammert und verschwendete keinen Blick an das, was um ihn war. Durch sein Mienenspiel konnte man die Geschichte mitlesen: Er runzelte die Stirn, atmete tief und heftig, verzog das Gesicht wie unter Schmerzen, lächelte. Genau so war es, dachte ich. Nachdem aber das Lesen in der Schule zur unguten Pflicht geworden war, ist bei mir eine Fehlhaltung entstanden, ein Defekt, den ich nicht mehr korrigieren kann: Ich lese Bücher nicht mehr zu Ende. Nehme ich ein Buch zur Hand, quält mich schon der Gedanke an die anderen, besseren, interessanteren, wichtigeren, die ich deshalb nicht lesen kann. Ich lese nur noch quer, dazu drei, vier Bücher parallel: Möge das beste gewinnen! Es ist längst kein Genuß mehr, sondern die vollkommene Paralyse! Stets bin ich bei der Lektüre gehetzt, vorwärtsgetrieben zur nächsten. Mir geht es nicht um ein einzelnes Buch, sondern um Belesenheit. Während der Studienzeit traktierten wir uns mit Büchern, die wir einander liehen. Hegels *Wissenschaft der Logik*, die ersten fünfzig und die letzten zwanzig Seiten dick angestrichen. Jedes Wort durchgekaut. So daß der andere glauben mußte, Wahnsinn, der hat sich die ganze *Logik* reingezogen! Bluff! Ich schaue in jedes Buch immer nur oberflächlich hinein, blättere es durch, überfliege Inhaltsverzeichnis und Klappentext und bilde mir so eine grobe Vorstellung von ihm, um es gleich wieder beiseite legen zu können und ein anderes zur Hand zu nehmen. Später mehr, damit tröste ich mich. Es kommt aber nie zu mehr.

Einer meiner Bekannten verhält sich da ganz anders: Er liest jedes Buch, das er angefangen hat, bis zum Schluß. Jedes! Sechs Wochen lang quälte er sich durch einen Roman von Antunes, dessen Bücher er eigentlich schätzte. Aber dieses eben nicht. Trotzdem. Er nahm es sich immer wieder vor, abends im Bett, schlief nach wenigen Seiten ein. Eine Bußübung bis zur letzten Seite. Aber dadurch gestattet er jedem Buch, den Raum zu beanspruchen, den es zur Entwicklung seiner Eigenart benötigt. Und da gibt es dann eben gute und schlechte, er macht Erfahrungen mit ihnen, das einzelne gilt etwas.

Logisch, daß bei meiner Sammlermacke die schiere Menge der aufgehäuften Werke zum Problem geworden ist. Bücher zu besorgen ist billig, sie zu erhalten und zu lagern kostet. Meine Dreizimmerwohnung ist randvoll, die Bücher stehen inzwischen in Zweierreihen im Regal. Jakob war eine große Entlastung. Ich bot ihm solche nachgelassenen Bücher an, bei ihm war es, als lägen sie nun wohlbehütet auf der Bank. Sein Verhältnis zu ihnen war ein kulturbewahrendes. Um Himmels willen nichts Gedrucktes wegwerfen! Manchmal rief er mich an und bat mich, ihm bestimmte, schwer erhältliche Werke zu besorgen, wie Wera Figners Erinnerungen oder die Schriften von Netschajew. Zuletzt suchte er Lektüre zu Bismarck und die Reiseberichte von Lothar Bucher.

Bücher haben uns immer wieder zusammengebracht. Ohne sie wäre der Kontakt zu ihm schwer gewesen. Er war ein Eigenbrötler und lebte zurückgezogen. Von Beruf war er Journalist. Er hatte selten das Bedürfnis nach Gesellschaft und trieb sich meist alleine herum. Nur seine Beziehung zu Helga pflegte er, sie habe ich bei ihm kennengelernt. Mit Jakob ein Bier trinken zu gehen, war nur selten möglich. Man traf sich nicht einfach, um zu reden oder etwas zu unternehmen, meist hatten unsere Treffen einen Anlaß, Bücher eben.

Bei unserer ersten Begegnung vor drei Jahren räumte ich eine Wohnung in der Hambacher Straße aus und lud Bücher in einen Lieferwagen. Als ich mit einem Karton beladen wieder auf die Straße trat, sah ich ihn. Er kam gerade aus dem Laden heraus, hielt eine Zeitung und eine Stange *Rothändle* unter den Arm geklemmt. Er puhlte ein Päckchen hervor, riß es auf, schlug sich eine Zigarette heraus. Dann bemerkte er mich und die Bücher und hielt mir die Schachtel hin. Er gab mir Feuer und fragte dann, wohin die Bücher kämen.

– Ins Antiquariat.

– Ich könnte mir also welche aussuchen?

Ich nickte. So begann er sich zwei Kisten zusammenzustellen, die ich ihm in seine Wohnung fuhr. Dort lud er mich zu einem Kaffee ein. Wir saßen in seinem Wohnzimmer. An diesem ersten Tag unserer Bekanntschaft gab er sich aufgeräumt und witzig, erst bei späteren Treffen bemerkte ich, daß er mager und nervös war und ständig mit einem Bein wippte. Damals saß er entspannt, weit in den Stuhl zurückgelehnt, und hatte die Beine nach vorne gestellt. Jakob war blond, das Blonde an der Seite grau durchsetzt. Sein Gesicht war hager, seine braunen Augen stets forschend. Ich fühlte mich durch ihn zum Erzählen animiert, er selbst redete wenig. Jakob war eigenwillig gekleidet, trug immer nur Töne von Senffarben bis Olivgrün, als habe er sie von Blond abzuleiten. Seine Hosen waren nie von der Stange, er ließ sie schneidern, wegen seiner schmalen Hüften und dünnen Beine fand er nichts Passendes, zumal er sie enganliegend mit hohem Bund haben wollte. Das Hemd war immer offen, im Sommer mehr, im Winter weniger, er zog nie ein Sakko an, nie einen Mantel, nur Blousons, wenn es kalt war, wattierte, darunter allenfalls Wollpullover, aber nur bei extremen Temperaturen, denn er haßte Pullover, weil sie ihn kratzten. Er hörte mir gerne zu, das war eine große Fähigkeit von ihm. Aber nur eine festumrissene Zeit lang, eine Stunde, vielleicht zwei, dann hielt er es nicht mehr aus, stand auf und sagte, er habe jetzt zu tun.

Sein Wohnzimmer war eigentlich keines mehr, obwohl es mit einer Sitzgruppe so eingerichtet war. Jakob hatte es mehr und mehr zur Bibliothek umgestaltet. Es gab ja auch kaum jemanden außer Helga und mir, die auf seiner Sitzgruppe Platz genommen hätten. Die Sitzgruppe wirkte wie das Überbleibsel eines normalen gesellschaftlichen Lebens, das er, vielleicht früher einmal, geführt hatte: Gäste haben, zusammen essen und trinken, Wohnlichkeit entwickeln, auch für Besucher. Was er früher gemacht hatte, darüber redete er nicht. Für mich sah es so aus, als hätte er irgendwann seinen Lebensstil geändert. Als seine Bücher und Papiere überhand nahmen, wurde diese Sitzinsel immer beziehungsloser. Seine Wohnung, in einem Neubau gelegen, war ohnehin klein. Schon in die Diele hatte er seinen Schreibtisch und Regale gezwängt, Papiere und Zeitungsausschnitte waren überall am Boden aufgeschichtet, sogar in der Küche, wo er frühstückte; auch im Bad lagen einige Jahrgänge *Stern* und *Spiegel*; dasselbe Bild bot sich im Schlafzimmer, wo um sein Bett herum Bücher gestapelt standen, verdoppelt durch die Spiegelwand, hinter der er seine Kleidungsstücke, diese Kollektion von Senffarben bis Olivgrün, aufbewahrt hatte; auch der größere Teil des Wohnzimmers war mit Regalen ausgestattet, vollgestopft mit Gedrucktem, manchmal, wenn es draußen feuchtkalt war, modrig riechend; und diese Papierfülle nun brandete gegen die Gestade der Sitzgruppe, hatte bereits das Rükkenteil des Sofas erreicht und begann es zu überfluten.

– Man kann andere nach dem beurteilen, was und wie sie lesen, sagte Jakob. Ein Mensch mit einem Buch, das ist für mich der Anfang einer Geschichte, die sich weitererzählen läßt.

– Was für eine Geschichte, fragte ich, eine wahre oder eine erfundene?

– Ist doch egal, sagte Jakob. Hauptsache, sie charakterisiert diesen Menschen zutreffend und bündig. Mir gegenüber in der U-Bahn saß ein Mann, vielleicht fünfundvierzig Jahre alt. Beine breit auseinander, in der Hand ein Westernheftchen, das er oben hält, seine Stirn ist gerunzelt. Er bewegt die Lippen, hält inne, grinst, nickt dann und liest weiter. Er gehört zu den Menschen, für die Lesen und Verstehen zweierlei sind. Er muß sich jeden Text vorlesen, um das Gehörte dann verstehen zu können. Er ist nicht einfach ein Mann mit Heftchen in der U-Bahn, ich weiß sofort, wo er herkommt, was er arbeitet und sonst tut. Verstehst du? Zweiter Fall: Im Zug vor einiger Zeit habe ich eine ältere Frau gesehen. Grauer Rock, graues Haarknötchen. Sie las *Sofies Welt*. Sie liest aber nicht einfach nur, sondern blickt dauernd vom Buch auf, lächelt und verströmt Leutseligkeit. Sie hebt ihr Buch an, legt es umgedreht auf den Schoß, damit jeder sieht, was sie liest, streicht ihren Rock zurecht und nimmt es wieder auf. Sie wartet die ganze Zeit darauf, daß jemand sie anspricht: Ach, Sie lesen *Sofies Welt.* Und sie möchte so gerne antworten: Ein schönes Buch. Das müssen Sie auch lesen. Es ist so amüsant und lehrreich. Eine Handarbeitslehrerin, alleinstehend, die Volkshochschulkurse in Philosophie besucht, sie liest nicht nur, sondern möchte immer etwas aus Büchern lernen. Das, sagt sie, kann ihr keiner nehmen. Und dann war da noch ein junger Amerikaner. Er zieht aus seinem Rucksack einen dieser tausendseitigen Taschenbuchziegel heraus. Das Cover schon zerknickt und verschlissen, die Seiten in der Mitte eingemerkt mit einem Schokoriegelpapier. Mehr Buch auf weniger Raum ist nicht möglich, das richtige für eine lange Reise. Praktisch eben. Nimm ein Buch mit, hat Dad gesagt. Zwei zum Preis von einem. Verstehst du: Weißt du nicht sofort alles über diese Personen?

– Ich nicht, sagte ich. Vielsagend ist nicht, was die Leute lesen, sondern was sie nicht lesen. Die Nachbarn meiner Eltern, die Ruhlands, hatten im Wohnzimmer nur den *Brockhaus* im Bücherschrank. Die Buchrücken daneben waren Hüllen für Videokassetten. Das bringt es auf den Punkt.

– Es geht nicht um Bildung oder so was. Gut, wenn du weißt, welche Bücher jemand liest, hast du schon eine grobe Orientierung über den Menschen. Wenn du mitbekommst, wie er sie liest, wird es schon sehr detailliert. Schau mal hier, mein Paradefall!

Jakob stand auf, griff ins Regal und hielt mir ein leinengebundenes Buch mit Goldprägung hin.

– Conrad Ferdinand Meyers Novellen. Band drei einer vierbändigen Gesamtausgabe. Ein Kuriosum, das mir da in die Hände gefallen ist. Habe ich bei Doll antiquarisch erworben. – Er schlug es auf. – Hier ist noch der Stempel. Vorher hat es ein Frithjof besessen. Kenne ich nicht, aber Frithjof war wohl sein Nachname. Oder glaubst du, daß jemand seinen Vornamen ins Buch schreibt? Frithjof ist wahrscheinlich längst gestorben. Der Band hier ist alt, noch in Frakturschrift gedruckt. In den zwanziger Jahren erschienen.

Auch Frithjof schrieb ja altdeutsch. – Er blätterte um. – Mit Feder. Ziemlich schwungvoll, aber akkurat. Die Abstriche sind dicker, durch stärkeren Druck der Feder gewissermaßen fett gesetzt. Ich tippe auf Lehrer. Jedenfalls hatte der Mann ein pädagogisches Anliegen. Frithjof war ein Aufklärer. Er hat Conrad Ferdinand Meyer für einen zweitrangigen Autor gehalten. Und genau das wollte er beweisen! Paß auf! – Jakob schlug die erste Novelle auf. – Er hat die ersten Seiten der Novelle, sie heißt *Das Amulett*, exemplarisch durchkorrigiert. Da, er hat Rotstift und Bleistift im Wechsel benutzt. Rot, das sind die gravierenden Ungereimtheiten und Schnitzer. Meyer beginnt ja vollkommen unvermittelt: *Heute am vierzehnten März 1611 ritt ich von meinem Sitze am Bieler See hinüber nach Courtion zu dem alten Boccard*... Und, wer ist das jetzt: *der alte Boccard*? Wir haben mit diesem alten Herrn noch nicht das Vergnügen gehabt. Da hat Frithjof gleich einen dicken roten Strich mit Fragezeichen hingemacht. Was soll ein unbekannter Name hier? fragt uns Frithjof. Meyer hätte schreiben müssen: ...*zu einem gewissen älteren Herrn namens Boccard*. Und weiter im selben Satz: Es geht um eine *mit Eichen und Buchen bestandene Halde*. *Halde* ist schwarz unterringelt. Schiefer Ausdruck, Frithjof schlägt *Berghang* vor. Und so fort. In jeder Zeile entdeckt er mindestens zwei solcher Ungenauigkeiten. Ein grober, unbeholfener Stil. Es gibt etwas *abzumarkten*. Oder des *Geldes ist benötigt*. Sofort schwarz unterstreichen! Erloschene Augen blitzen bei einer freudigen Nachricht auf. Abgegriffen, eines großen Erzählers unwürdig! Wird dick rot markiert. *Na ja!* schreibt er an den Rand. Das macht er aber nur auf den ersten drei Seiten so. Dann wird er großzügiger. Hier: kurz und knapp *A* am Rand. Aber du weißt jetzt sofort Bescheid: Ausdruck! Schlecht geschrieben! Logisch, daß sich Frithjof durch die nächste Novelle *Der Schuß von der Kanzel* gar nicht mehr quälen wollte. Abgetan, keine Anmerkung von ihm. Obwohl es sicher auch darin einiges anzustreichen gegeben hätte. Wenn du so weit gelesen hast, hat Frithjofs Lektion schon gewirkt. Du hast einfach ziemliche Schwierigkeiten mit Meyer. Eigentlich wäre es am besten, das Buch wegzuwerfen, alles zu vergessen und später einmal ein frisches, lesbares zu besorgen. Weißt du, ich habe mich immer gefragt, warum es diesen Band überhaupt noch gibt, warum Frithjof seine Ausgabe nicht vernichtet oder zerrissen hat. Aus Wut oder Enttäuschung. Aber das ist Absicht, verstehst du? Er hat das Buch mit Bedacht ins Antiquariat gebracht. Sicher nicht, weil er geizig war, sondern um es in Umlauf zu bringen. Er wollte den anderen zeigen, daß und warum Meyer ein so miserabler Autor ist. Deshalb hat er seinen Namen auch nicht getilgt. Er steht gerade dafür. Jetzt vergiß mal Meyer dabei. Denk nur mal daran, was du alles über Frithjof erfahren kannst durch dieses Buch.

Ich verstand schon, was Jakob meinte. Ich habe einige Bücher von meinem Großvater andenkenhalber aufbewahrt. Mein Großvater las stets in seinem Ohrenbackensessel und rauchte Stumpen dazu, die es in runden Päckchen am Kiosk zu kaufen gab. Krumme Hunde nannte man die. Er saß aufrecht nach hinten gelehnt und hielt das Buch, den Ellenbogen auf der Lehne abgestützt, in einiger Entfernung von seinen Augen. Er war weitsichtig. Dazu blies er immer wieder den Rauch auf die Seiten, wie ein Imker, der ein Bienenvolk zu betäuben versucht. Alle Bücher, die ich von ihm übernommen habe, waren mit Zigarrenrauch imprägniert. Im Falz der Seiten waren oft noch Asche oder Tabakkrümel. Da er die Bücher immer unten festhielt und sie fast nie auf einen Tisch auflegte, war der Rücken, wenn überhaupt, auch nur unten gerissen.

Hingegen schlug meine Tante Klara Bücher immer in Zeitungspapier ein und achtete peinlich genau darauf, daß der Rücken nicht überdehnt wurde. Aber sie benutzte immer parfümierte Handcremes. Je spannender die Lektüre, desto nervöser rieb sie die obere rechte Seitenecke zwischen Daumen und Zeigefinger, blätterte dann rasch um und nahm gleich die nächste Seite zwischen die Finger. Man sah und roch es genau, welche Bücher sie gelesen hatte, und Stellen, die sie besonders gefesselt hatten, hatten oben eine mürb geriebene Ecke.

– Bücher sind nicht nur wegen ihres Inhalts Dokumente, erklärte

Jakob. Ich habe mir zum Beispiel angewöhnt, was mir im Alltag so unterkommt, ins Buch zu notieren: einen Namen, Telephonnummer, Besorgungen oder was mir sonst so durch den Kopf schießt. So steckt in den Büchern immer auch eine andere Geschichte drin, die durch den Leser eingeprägt wird. Und es ist dabei vollkommen egal, ob er das will, so wie Frithjof und ich, oder nicht. Das läßt sich nicht vermeiden. Schau mal: Du mußt das Buch immer in die Hand nehmen und lebst eine Weile damit. Seiten werden geknickt, Fettfinger, Schweiß, Brösel, Kaffee oder Rotwein und was sonst noch alles. Die meistgelesenen Stellen erkennst du schon außen als dunkle Streifen. Jedes Buch ist ein Archiv von Lesegewohnheiten. Ich glaube, es wäre möglich, das Bild seiner Leser wiedererstehen zu lassen.

– Wie meine Steuerberaterin, sagte ich. Sie behauptet, daß sie aus den Belegen ihrer Klienten genau den Charakter und die Lebensweise dieser Personen lesen kann. Sie weiß nach der Erstellung der Steuererklärung alles über sie.

So unterhielten wir uns angeregt, und ich habe dieses erste Treffen in bester Erinnerung behalten. Spätere waren zäher, oft war er wortkarg und blieb verschlossen.

3. Gedächtnisphotographien I

Seine Manuskripte schrieb Jakob Amon immer auf einer elektrischen Schreibmaschine. Es war eine voluminöse, graubraune *Triumph*. Das Vibrieren ihres Motors übertrug sich trotz dicker Filzunterlage auf die Arbeitsplatte. Gerne legte Jakob sein Knie an das Tischbein. Dort war nur noch ein Zittern zu spüren, ein Lebenszeichen, daß sein Arbeitsgerät noch mit ihm war, selbst wenn seine Hände ruhig im Schoß lagen. Tippte er, wurden die Erschütterungen stärker und fingen an, zusammen mit dem Geräusch der schlagenden Typenhebel, den Gedankenfluß mitfühlbar zu rhythmisieren. Manchmal entstand daraus eine eigenständig vorwärts treibende Bewegung, die die Sätze geschmeidig in Gang hielt, öfters jedoch ein Anmeißeln gegen einen unzugänglichen Block, der sich in keine Form fügen wollte.

Ziellos blätterte Jakob in Büchern herum, bis er auf den Namen *Lüderitz* stieß. War das ein Zeichen? Sollte er Helga anrufen? Lüderitz hatte die Wiederbegegnung mit Helga gestiftet, denn es war vor drei Jahren die Lüderitzgesellschaft gewesen, von der Jakob eine Einladung zu einer Diskussion in das Haus der Kultur erhalten hatte. *Reste des deutschen Kolonialismus in Namibia* war das Thema. Schon beim Gedanken an eine öffentliche Veranstaltung zitterte Jakob. Er verordnete sie sich aber, um nicht allen Kontakt nach draußen zu verlieren. Drinnen, das waren seine Wohnung, seine Bücher, seine Arbeit, seine Gedanken. Obwohl er beim Friseur gewesen war, sich Hemd und Hose neu gekauft hatte, fühlte er sich wie ein struppiger Köter. Konversation war etwas ungeheuer Schwieriges. Von den zwischenmenschlichen Kulturtechniken beherrschte er nur noch Rauchen und Trinken. Haben Sie Feuer? Kann ich Ihnen noch etwas nachschenken? Mit Glas und Zigarette in der Hand wurde er Helga vorgestellt. Sie zeichnete Teile der Veranstaltung für das Fernsehen auf. Lächelnd musterte sie ihn.

– Kennen wir uns?

– Ja, sagte Jakob, neunzehnhundertvierundachtzig war ich in Ihrer Münchner Wohnung. Es ging um ein Projekt, das nicht zustande kam.

Bei Jakob waren noch warme Bilder einer harmonischen Situation in Erinnerung geblieben. Aber ihre Überlegenheit war wie eine Deklassierung, Jakob spürte, wie sich unter seiner Achsel ein Schweißtropfen löste und nach unten rann. Obwohl Helga bei der Veranstaltung weit hinten saß, sah Jakob nur sie. Er begann zaghaft und sagte nie mehr als zwei, drei auf dem Papier vorformulierte Sätze, um sich nicht zu verhaspeln. Zunächst sah es so aus, als sei er der Diskussion nicht gewachsen. Dann aber wurde er sicherer. Es war wie bei einem Seiltänzer, der sein Publikum in den Bann zog und mitfühlen ließ, weil immer zu befürchten stand, daß er gleich abstürzen würde. Nach und nach fand er zu einem Brustton der Überzeugung, der ihn in früheren Diskussionen ausgezeichnet hatte. So brachte er die Veranstaltung zu einem guten Ende und war nun locker und beflügelt, auch Helga gegenüber.

Jakob suchte sie und fand sie in einer Gruppe von Fernsehleuten stehend wieder. Ein Kameramann redete auf sie ein. Um ihn abzublocken, wendete sie sich ostentativ Jakob zu. Nach einem längeren Gespräch fragte Jakob, ob sie sich nicht wiedersehen könnten. Helga stimmte zu. So kamen sie in Kontakt.

Jakob war sehr aufmerksam. Immer wieder brachte er Geschenke. Es waren nicht die üblichen Mitbringsel, sondern alles stand in einem Zusammenhang, den Helga selbst mit hergestellt hatte: eine Andeutung, ein Wunsch, etwas, worüber sie gesprochen hatten. Wenn sie sich verabredeten, hatte Jakob stets einen Vorschlag für eine Unternehmung: Kino, Kabarett oder Theater. Er studierte die Veranstaltungsblätter und hatte sich auf die Treffen mit Helga vorbereitet.

– Könnte es sein, fragte Helga bei einem ihrer ersten Treffen, daß du dich wie einer verhältst, der keinen Fehler machen will? Auf eine komische Weise diszipliniert und tadellos.

– Ja, antwortete Jakob ohne Umschweife, ich tue alles, um dich auf meine Seite zu ziehen.

Helga lachte.

– Ich weiß es zu schätzen, daß du dir Mühe gibst und versuchst, unsere Treffen zu etwas Besonderem zu machen. Aber versuch doch einfach mal, etwas weniger angespannt, etwas lockerer zu sein. Ich laufe nicht davon.

Wie so oft war Helga auf Anhieb nicht zu erreichen gewesen. Jakob verzichtete darauf, ihren Anrufbeantworter zu besprechen. Was schon? Grüße von Lüderitz? Inzwischen war es Spätnachmittag geworden, seit Stunden verspürte Jakob Hunger. Diesem Bedürfnis gab er nie sofort nach. Essen war eine Sache der Vernunft für ihn und keine des Genusses. Man mußte essen. Ab und zu wenigstens. Wenn die Zigaretten nicht mehr schmeckten, der Kaffee nur noch sauer und bitter war, ein Gefühl inneren Frostes aufkam. Dazu war es draußen immer noch winterlich. Kalte Luft drang durch die Ritzen der alten Fenster und zog über Jakobs Schreibtisch hin. So wurden beim Tippen die Finger klamm. Das behinderte die Arbeit. Erst dann war Pause angesagt: etwas essen!

Jakob kochte fast nie selbst. Er beherrschte nur zwei Gerichte: Tortellini mit Sahnesoße und Fleischklopse in Kapern-Senf-Soße. Aber auch deren Gelingen stand stets auf der Kippe. Er verfuhr genau so, wie er es sich notiert hatte, verstand aber nicht, welche Zutaten und Handgriffe entscheidend waren. Kochen war das Nachstellen eines Zauberkunststücks. Außerdem verlor Jakob den Überblick, die Küche wurde zu einem Schlachtfeld, und wenn alles fertig war, hatte er keinen Hunger mehr, weil er sich schon in der Zubereitung verausgabt hatte. Einfacher war es daher, essen zu gehen. Allerdings kamen nur ganz bestimmte Restaurants in Frage.

Jakobs Lokal war die *Hasenschänke*. Dort kochte Friedl. Frühmorgens kaufte er in der Großmarkthalle ein. Anschließend stand er in der Küche. Er trug auch in der kalten Jahreszeit nur ein Rippunterhemd, eine weite, von Klipphosenträgern gehaltene Malerhose und hatte sich eine weiße, fleckige Schürze umgebunden, um sich bequem die Hände abwischen zu können. Friedl war quallig dick, seine kräftige dunkle Brustbehaarung setzte sich über die Schultern zu den Armen hin fort, dahinter leuchtete, in der halbdunklen Gastwirtschaft fast phosphoreszierend, seine Haut so gelblich bleich wie die eines Mehlwurms. Die Vorstellung, wie Friedl in der Küche herumfuhrwerkte, brachte auf den Punkt, daß Jakob einen Grundekel vor dem Essen hatte, der immer erst überwunden werden mußte. Schon morgens um neun Uhr stellte Friedl eine mit Kreide beschriebene Tafel mit den Gerichten des Tages vor den Eingang des Lokals. Zu den Gerichten, die er anbot, gehörten: Saftgulasch mit Salzkartoffeln, Viertel Ente mit Blaukraut, Schweinekotelett mit Kartoffelsalat, Leberkäs mit Ei, Kalbsnierenbraten mit Mischgemüse oder sonntags auch mal gespickten Rehrücken mit Sauce Cumberland.

Von seiner Wohnung aus konnte Jakob quer hinüber zu Friedls Tafel sehen. Heute gab es Rindsroulade mit Püree. Kurze Zeit später saß Jakob dann im Lokal, hatte die Hälfte der Fleischrolle und ein wenig Püree gegessen, hatte den Teller weggeschoben, die Portionen waren ohnehin immer zu groß, hatte sich zurückgelehnt und gleich wieder eine Zigarette geraucht, sie in der reichlichen Soße der Salatbeilage zischend gelöscht und an den Tellerrand gelegt. Er schob einen Geldschein unter den Teller und ging. Man kannte sich. Friedl klapperte noch in der Küche mit Geschirr, er würde später abräumen und das Geld an sich nehmen.

Jakob hatte einen Artikel über Bismarck zu schreiben. Im Juli neunzehnhundertachtundneunzig würde sein hundertster Todestag sein. Der *Merkur* hatte einen Beitrag angefordert. Wie so oft hatte es Jakob vom Thema weggetrieben. Zu einer anderen Person hin: zu Lothar Bucher, Bismarcks Intimus und Sekretär. Bucher war achtzehnhundertachtundvierzig Mitglied der Nationalversammlung gewesen und Steuerboykotteur. Ein Radikaldemokrat, der nach London ins Exil geflohen war, um dem Zugriff der Reaktion zu entgehen. Er war dort als Journalist tätig, schrieb Reiseberichte. Anfang der sechziger Jahre war er in die Arme derer zurückgekehrt, von denen er sich abgesetzt hatte. Nun aber in Amt und Würden. Er blieb stets eine Hintergrundfigur, ein Diener seines Herrn. Ein Faktotum. Wie kam solch eine Biographie zustande? Leider war der März achtzehnhundertachtundvierzig schon abgefeiert, aber vielleicht konnte man zu einem späteren Zeitpunkt im Jahr noch eine Nachbetrachtung anstellen und dabei diesen Fall aufarbeiten.

Wenn Jakob schrieb, ordnete er alles seiner Arbeit unter. In der letzten Phase machte er die Nacht durch, bis alles fertiggestellt war. Den Einstieg gestaltete er sich noch bequem. Er las, trank Kaffee und aß Kekse dazu, machte sich Notizen auf Karteikärtchen in kleiner, für andere unleserlicher Schrift. Um die Sache herumstreichen und sich an sie herantasten. Vor drei Wochen hatte er Marco Sentenza angerufen, um sich Bücher beschaffen zu lassen. Marco hatte eine alte Ausgabe der *Gedanken und Erinnerungen* und eine von Bismarcks Briefwechsel mit Katharina Orloff beibringen können. Buchers Reiseberichte konnte er nicht auftreiben. Aber die lagen in der Zentralbibliothek vor. Durch das viele Lesen stellte sich irgendwann ein Gefühl ein, wie ein Faß bis oben hin voll mit dem Stoff zu sein. Dann ging es los, und Jakob setzte sich an seine Schreibmaschine und tippte. Er begann immer wieder von vorne, bis ihm alles aus einem Guß schien. Nur kleinere Rechtschreibfehler korrigierte er nachträglich mit Tipp-Ex und einem schwarzen Filzschreiber.

In diesem Stadium gönnte sich Jakob keine Pause mehr. Wenn eine Nacht überwunden werden mußte, war es zu Beginn wie der Einstieg in eine Kletterwand. Hat irgend jemand gesagt, daß Schreiben Spaß macht? Lächerlich, das beherrschende Gefühl war Unlust. Dazu die Gewißheit, daß das bisher Zusammengetragene nur Gestöpsel war. Die Hindernisse türmten sich. Und jedes Geräusch wurde zu einem Gesang der Sirenen: Laß die Quälerei, kümmere dich lieber um uns! Ein Frauenlachen unten auf der Straße, nur kurz, aber bezwingend. Eine hochgewachsene Frau mit rötlichen Haaren, blassem Gesicht, bordeauxroten Lippen in einem nougatbraunen Kostüm. Ach! Striktes Verbot, das weiter auszupinseln! Jakob zum Trotz ertönte unten noch einmal dieses Lachen. Oben tackerte die Schülerin mit weißblondem Stiftenkopf in ihren Plateaustiefeln übers Parkett. In die Küche? Dann, um zehn Uhr, gingen die ersten zu Bett. Unten im ersten Stock der Bäcker mit seiner Frau. Durch den Kamin oder sonst einen Schacht gab es Hörkontakt zu ihrem Schlafzimmer. Die Geräusche mündeten auf unbekannten Wegen in Jakobs Therme und wurden dort wie durch einen Trichter verstärkt und blechern ausgegeben. Ihre Betten knarzten, sie warfen sich hin und her. So begann es, immer dasselbe! Er brömmelte und knaunzte wie ein dicker, alter Hund hinterm Ofen, sie stöhnte ein zaghaftes, zittriges *Ah!*, das dann zu stoßweisen Klagerufen wurde, so brüchig wie die Schreie einer Eule. Nun wurde sein Brummen gereizter, abgehackt, schließlich pumpenartig und dann war endlich Ruhe. Jakob fühlte sich durch diese tägliche Gewohnheit der Bäckersleute belästigt, aber es gab keine verträgliche Möglichkeit, den außerhalb ihrer Wohnung so verhuscht wirkenden Leuten Bescheid zu geben.

So vergingen die Stunden bis Mitternacht. Jetzt gingen die letzten zu Bett. Im Zimmer über Jakobs Schreibtisch rollte die blonde Schülerin ihren Bettkasten aus. Entkleidete sich? Nun war alles ruhig, der tote Punkt kam und mit ihm das Bedürfnis, sich ebenfalls hinzulegen und zu schlafen! Jakob stand auf, dehnte sich, setzte frischen Kaffee auf und trat auf den Balkon hinaus. Unten lief ein Betrunkener. Schwankend. Es klang, als versuche er, Lieder aus sich herauszuschreien, die er unwiderstehlich in sich fühlte, aber nicht mehr konnte. Er sang forsch los vom *Neger Jim* und dem *Gin*, glissandoartig Höhen und Tiefen verschleifend, stockte schließlich, nahm mit den letzten Takten erneut Anlauf und brach dann ab.

Wenn sein Gesang versackt war, schrie er wütend auf und trat gegen das Blech parkender Autos. Dann verschwand er um die Ecke.

Neuerdings wurden immer wieder Autos demoliert. Vor einigen Monaten hatte Jakob zugesehen, wie eine Gruppe Jugendlicher nachts auf den parkenden Autos die Straße hinuntergelaufen war. Sie riefen *Hepp!*, *Hey!* oder *Yeah!*, nahmen im Anlauf das Heck wie eine Stufe, hüpften federnd auf das Dach, sprangen in die Kühlerhauben wie in ein Trampolin und enterten von dort den nächsten Wagen. Alles mutete so leicht, so spielerisch an, nur das Krachen und Scheppern des getroffenen Blechs erinnerte daran, daß sie etwas Verbotenes taten.

Jakob ging in die Wohnung zurück. Der Kaffee war fertig, das letzte Wasser tropfte nicht mehr in den Filter, sondern wurde zischend als Dampf in die Luft geblasen. Von fern hörte man noch das Schreien des Betrunkenen. Und jetzt eine Polizeisirene. Irgend jemand, dessen Wagen beschädigt war, hatte bestimmt auf dem Revier angerufen, und bald würde eine Zivilstreife langsam durch die Straße fahren.

So zerfaserten sich die Gedanken. Dann dehnte sich die Zeit, floß träge und zäh. Das Gefühl von Einsamkeit breitete sich aus, eine vollkommen sinnlose Einsamkeit, weil Jakob nichts zustande brachte. Sie wurde lastend, drückte ihn in Schwermut hinunter und zog seine Arbeit in Mitleidenschaft. Dieser Artikel war doch Scheiße! Der weiße Revolutionär, mein Gott! Die Gedankenführung war holprig, die Substanz dürftig und das Wenige aufgeputzt wie ein Pfingstochse. Außerdem wucherten die Füllwörter. Er begann alles noch einmal von vorne, tippte langsamer, Wort für Wort sich vorwärts tastend, blieb hängen und versackte. Er zerwühlte die Haare, grübelte und sank ganz tief, bis, unten angekommen, endlich die umgekehrte Bewegung einsetzte und es ihn hochtrieb wie einen luftgefüllten Ballon, der im Wasser nach oben strebte. Die Finger wurden flink, es zog ihn vorwärts, gleißenden Gedanken entgegen. Das war die Phase, für die es sich gelohnt hatte, durchzuhalten. Es gab jetzt keinen Zweifel mehr an dem, was er tat, der ihn zermürbt hätte, statt dessen dieses federleichte Gefühl, oben zu schwimmen, getragen von der Gewißheit großer Wichtigkeit seines ganzen Tuns. Manchmal – in seltenen Momenten – hob es ihn noch weiter hoch, dann war ihm, als schwebe er und sehe aus einer Vogelperspektive endlich einen Sinn, der sein Leben durchzog wie Furchen einen frisch gepflügten Acker. Über diesen Zustand hinaus gab es nichts; die Frage, ob er angenehm oder unangenehm war, stellte sich nicht mehr, und genau diese Selbstvergessenheit war es, nach der Jakob sich sehnte.

4. Am Obersalzberg I

Bärloch war inzwischen in eine Art Dämmerzustand versunken. Die jahrelange Einsamkeit hatte ihn mürbe gemacht. Durch das Immergleiche war sein Alltag stockig geworden. Seinen Bungalow, auf einem Hügel gelegen und von einer Kaserne umgeben, nannte er inzwischen seinen *Obersalzberg*. Eine Provokation, die bei niemandem verfing. Auch Fritz Knöbel, sein früherer Chauffeur, ging am Telephon kommentarlos darüber hinweg. Er war nach Bärlochs Ausscheiden aus dem Amt in Pension gegangen. Seine gelegentlichen Besuche hatte er eingestellt. Früher hatte Fritz ihn stets aufzuheitern vermocht, inzwischen, zumal am Telephon, war es zäh geworden. Bärloch spürte, daß Fritz nur noch einer Verpflichtung nachkam. Als ob aus ihm ein Sozialfall geworden wäre! Die Vorstellung lähmte Bärloch, er wußte kaum noch etwas zu sagen, schnaufte nur schwer. Fritz lebte jetzt in Bingerbrück und beschränkte sich darauf, ab und zu eine Karte vom schönen Rhein zu schreiben. *Prosit Chef! Herzlichen Gruß aus Rüdesheim.*

Bärloch hatte keine Kollegen mehr, keinen Auftrag. Die Aufgabe, der er sich verpflichtet fühlte, hatte er sich selbst gestellt. Gegen Zweifel schottete er sich ab, indem er sich hinter strikten Arbeitsabläufen und Alltagsroutinen verschanzte. Und wenn doch einmal etwas außerhalb der Reihe passierte, trat ihm der Schweiß auf die Stirn. Die Duschwanne würde ausgewechselt werden. Der Handwerker würde mit einer Flex arbeiten, und feiner Staub würde das Bad bedecken. Tür schließen nicht vergessen, sonst war der ganze Schmodder im Flur! Schon mal das Bad ausräumen? Wann? Am Abend vorher, oder morgens noch mal duschen und dann schnell ausräumen. Den Wecker auf sechs Uhr stellen. Nicht vergessen! Sofort aufschreiben!

Oder alles nur zudecken mit Folie? Dem Handwerker einen Fünfziger zustecken, daß er das alleine macht? Aber die kümmerten sich ja nie um den Dreck, den sie hinterließen. Aus Prinzip nicht. Und waren genauso unbeholfen in solchen Dingen wie er. Die Putzfrau hinterher bestellen? Die Nummer war unter M wie Maric zu finden, nicht etwa unter L wie Lena oder korrekterweise E wie Elena. Aber die beklagte sich dann, daß die Sachen nicht richtig abgedeckt waren. Und daß Handwerker so schmutzten. Also doch ausräumen? Statt das Problem sauber und geräuschlos lösen zu können, hatte er es zu einer sperrigen Affäre gemacht, die ihn nicht mehr schlafen ließ. Bärloch, der Stratege, skizzierte ein kleines Ablaufdiagramm.

Gab es ein Lebenswerk, das noch zu vollenden war? Bärloch las, bestellte dazu Unmengen von Büchern über die Fernleihe, tüftelte an Software herum, hing im Internet. Bücher und Apparate – und sonst? Vor Jahren hatte er noch gehofft, man würde ihn zurückholen, ihm Abbitte leisten. Seine Nachfolger waren schwache Figuren, Hellmann hielt sich nur vier Jahre lang. Bärlochs Organisation, die Sonderkommission, war bald aufgerieben. Man hatte sie aufgelöst und alle Zuständigkeiten an das BKA übergeben. Ein überragende Festung geschleift, nichts mehr blieb. Vergessen machte sich breit. Konrad Bärloch? Wie also sollte ein Lebenswerk in einem Schatten gedeihen, in dem auch sonst nichts mehr wuchs? Und wer würde sich für seine Ideen über Attentäter und deren Motive interessieren?

Vielleicht ist es gut so, sagte sich Bärloch. Auch der Gegner wird mich vergessen. Ich werde ein normales Leben führen können. Irgendwann.

Selbstbetrug! Es genügte schon, die Augen zu schließen. Dann war alles so frisch wie in jenen Tagen seiner Entmachtung. Immer noch sah er Zweigelt im dunklen Anzug vor sich, allerdings hatte sich in seiner Erinnerung das Gesicht des Innenministers zu einer maskenhaften Visage verzerrt.

Nein, keinem, der ihn aus dem Amt getrieben hatte, verzieh Bärloch. Und die andere Seite? Die RAF konnte er ohnehin nicht vergessen. Er verfolgte ihre Schritte genau und zeichnete sie auf. Das Datengebäude, aus dem man ihn vertrieben hatte, baute er sich mit eigenen Mitteln wieder auf. Er betrieb Grundlagenforschung und versuchte ihr Umfeld zu erfassen und auszuwerten. Ihre Herkunft, sozial und weltanschaulich, Initialerlebnisse, die weitere Karriere. Auf seinem Rechner hatte er Dossiers zu den handelnden Personen angelegt. Mit Bild und Lebenslauf, den er aktualisierte, sobald er neue Informationen bekam. Bärloch interessierte, wer noch in Freiheit war, wer im Gefängnis saß und was sie hinterher machten. Ob sie ins Leben zurückfanden. Im Ordner *offen* lag nur noch ein Fall: Jakob Amon. Niemand hatte diese Arbeit von ihm erbeten, er führte seine Studien zu seiner eigenen Sicherheit fort. Zu viele von ihnen waren durch ihn gefaßt worden. Auch sie verziehen das nicht, diese Feindschaft war lebenslang. Den anderen, im Amt aktiven Kollegen traute Bärloch nicht. Er wollte selbst abschätzen können, wer ihm gefährlich werden könnte. Allerdings würde mit seinem Tod dieses Schutzbedürfnis gegenstandslos werden. Deshalb hatte Bärloch einen Selbstzerstörungsmechanismus eingebaut: Das gesamte Konvolut zu diesem Komplex würde automatisch getilgt, wenn nicht eine Löschroutine ständig neu terminiert wurde. Er wollte verhindern, daß andere nach seinem Tod über diesen Bestand frei verfügten und seine Arbeiten fledderten.

Bärloch studierte Marx und Lenin. Gefiel sich in kühnen Visionen, weil er glaubte, die klassischen Werke der Revolution besser als seine Gegner zu verstehen. Er analysierte die Verlautbarungen der RAF, versuchte geplante Aktionen zu extrapolieren. Meist hatte er recht! Denn seine Prognosen waren eine schöpferische Anwendung ihres Gedankenguts. Dorthin zu kommen, war immer wieder eine Qual. Als habe er sich im Dunklen durch unzugängliches Gestrüpp zu kämpfen. Bis Erkenntnis wie ein Blitz die Szenerie beleuchtete, und er alles deutlich vor sich sah. So würde es kommen! Nun haltzumachen, gelang Bärloch zunehmend weniger: Wenn er auf der anderen Seite stünde, würde er! Er würde den verirrten Idealismus der

RAF kritisieren. Person und Funktion waren doch zweierlei! Statt das System zu schwächen, statt strategisch zu handeln, zielten sie immer nur auf seine Repräsentanten. Und immer passierte dasselbe: Die Gegenseite formierte sich, gestützt durch eine breite Zustimmung. Alle Solidarität galt den Opfern. Nie bekam der Revolutionär das moralische Heft in seine Hand. Zumindest nicht dauerhaft.

Mit lockerer Hand hatte Bärloch begonnen, dieses Dilemma am Beispiel der russischen Nihilisten zu skizzieren. Sie versuchen den Angriff auf die Spitze der Macht und wollen den Zaren beseitigen. Warum? Der Zar repräsentiere nicht die Macht, er habe sie. Sturz der Autokratie durch seinen Tod. Zweifel an diesem Ziel gibt es nie. Nichts schreckt sie ab. Auch nicht Verhaftung, Folter oder Tod ihrer Genossen. Das Reservoir an Freiwilligen scheint unerschöpflich. Es ist eine Bewegung, der eigentliche Täter unwichtig. Dazu bekennt sich Sheljabow, einer der führenden Köpfe: Daß ich an dem Attentat nicht physisch beteiligt war, lag nur am Zufall meiner Verhaftung. Meine moralische Beteiligung steht außer Frage. Gudrun Ensslin hatte das genau so formuliert. Gemeinsam ist ihnen auch ein grundlegendes Problem: Die Verwirklichung des Zarenattentats bindet alle Kräfte. Nur so läßt sich ein solches Vorhaben durchführen. Wie Karnickel Junge, so zeugen sie Attentate. Vielleicht ein Dutzend wird geplant, fünf werden schließlich durchgeführt. Erst dann gelingt es ihnen, Alexander II. zu beseitigen. Das Ziel ist erreicht, aber ihr Leben und Wirken hat sich bis dahin in Versteck, Flucht und Konspiration erschöpft, nichts weiter. Die Partei, die sich Narodnaja Wolja (Volkswille) nennt, ist daher vom Volk abgeschnitten. Der Führungskern ist von den Massen isoliert. Wie die Köpfe der RAF.

Die Parallelen waren schlagend, fand er. Und das Resultat des geglückten Anschlags? Gleich Null, sie hatten den Zarismus mit dem Zaren verwechselt. Zu bewundern war Lenin. Der hatte den Nihilismus mit seinem untrüglichen Gespür für die Hebel der Macht kritisiert. *Der Anarchismus ist ein Produkt der Verzweiflung.* Und warum studierte die RAF nicht Lenins Hinweise? Sie verstanden eben nichts von

Machtpolitik, nichts vom Mechanismus der Geschichte. Sie hielten sich für besser und gerechter und glaubten, daß ihnen diese höhere Moral wie ein Schutzengel zur Seite stehen würde. Als ob damit je ein Machtkonflikt entschieden worden wäre!

Auf dem Feldherrnhügel der Theorie zu stehen, verschaffte Bärloch ein Wohlgefühl ohnegleichen. Allerdings, wenn er solche Gedankengänge niedergeschrieben hatte, stellte er fest, daß sie nicht vermittelbar waren. Man würde ihn als Deserteur beschimpfen. Oder als verwirrten Querkopf. Dabei war vieles an den Überlegungen der RAF richtig, nur durfte man es nicht sagen. Allein ihre Existenz war schon ein Symptom. Die Gesellschaft war krank. Kein Kommentator wagte dies einzugestehen. Statt einer Analyse wurden Haltungen und Bekenntnisse vorgetragen. Verirrt, verrückt oder fanatisch, andere Einordnungen waren nicht statthaft. Wo war der freie Blick? Das ungetrübte Urteil? Alle, die sich äußerten, trugen Schaum vor dem Mund. Langemann, ein ehemaliger Kollege, hatte versucht, den *großen politischen Einzelmord* zu untersuchen. Kläglich, fand Bärloch. Dazu schlampig. Immer wieder falsche Daten und Namen. Attentäter als Fabelwesen, absichtsvoll verdreht, als handle es sich um Einhörner und Meerjungfrauen. Ein Einfühlen gab es nicht. Ich habe die Tat selbst ausgeführt, ließ Chesterton Pater Brown auf die Frage antworten, wie es ihm gelungen sei, Verbrechen aufzuklären. Schritt für Schritt war dies zu erarbeiten. Nicht nur denkerisch. Internalisierung des anderen. Das war der Schlüssel!

5. Ratten I

– Ratte, murmelte Kommissar Brill vor sich hin. Eine Aufwallung von Selbstekel. Den ganzen Vormittag über hatte er die Zeit mit Zeitunglesen totgeschlagen.

– Mahlzeit, Horst! sagte Inspektor Wehowsky, der am Schreibtisch gegenüber saß.

Wehowsky lächelte schüchtern. Er war zwar neu hier, aber er hatte sich schnell daran gewöhnt, daß Brill immer mal Ratte! rief. Zumeist morgens, um sich auf Touren zu bringen. Die alten Germanen hätten auch spezielle Kampfrufe gehabt, mit denen sie sich selbst angefeuert hätten, hatte Brill erklärt. Das war weit hergeholt, war ihm aber egal, er hatte das nur gesagt, damit Wehowsky sich nicht beleidigt fühlte. Er fand, daß es ihm einfach tierisch guttat, laut und deutlich Ratte! zu rufen. Es putzte durch.

– Ratte! rief er laut, stand auf und schob das Hemd in die Hose zurück.

Gerader Bauchmuskel, Rektus. *Abdomen.* Das war der Problembereich. Brill fand, daß er eine Wampe wie ein russischer Gewichtheber habe. Muskulär gut durchgebildet, kräftig, hart, aber eben kugelartig vorstehend.

– Na los, hau rein! sagte Brill zu Wehowsky.

Inspektor Wehowsky hatte seine Brille über die Augenbrauen geschoben, um besser Akten studieren zu können. Brill stand vor ihm und hielt die Luft an. Sein Brustkorb war gebläht, die Arme abgewinkelt – wie ein Gorilla in Drohhaltung. Wehowsky lächelte verlegen und schüttelte den Kopf. Brill ließ die Luft wieder pfeifend entweichen.

– Hau schon rein, du Ratte!

Wehowsky, gerade mal einssiebzig groß, stand auf. Er hatte ein weißes Hemd mit Kombikragen an, da konnte man die Krawatte nach unten gelockert tragen, ohne verschlampt auszusehen. Wieder kräuselte er die Lippen zu einem verlegenen Lächeln. Aus irgendeinem Grund mußte Brill Druck ablassen. Wenn man nicht mitmachte, nervte er den ganze Tag. Wehowsky blickte sich um, ob es Beobachter gab. Gab es nicht, also ballte er die Faust und boxte in Brills Bauch. Hart wie eine Mauer!

– Aua!

Brill lachte. Er packte Wehowsky von hinten und hob ihn hoch. Er tat, als wolle er ihn am Hosenboden fassen und zum Fenster tragen.

– Soll ich Zwergenweitwurf machen? Was meinst du, Weho?

Wehowsky strampelte. Das hatte er davon. Jetzt mußte er zum Ausgleich für den Boxhieb Brills Scherze über sich ergehen lassen.

– Bist du verspannt, Weho? Laß mal ganz locker!

Brill hielt Wehowsky unter den Achseln fest und schlenkerte ihn hin und her. Es knackte in seinem Brustkorb.

– Hörst du das? Ich hab's doch gewußt, daß du verspannt bist.

Brills Theorie war, daß sich mit jedem Knacken eine Verspannung löste. Wehowsky hingegen fürchtete, daß er sich Rippen und Rückgrat brechen könnte. Aber Brill hatte bei ihm Privilegien. Wehowsky hatte mit Roderich dezernatsübergreifend an einem Fall gearbeitet. Der erste große, der ihm übertragen worden war. Ein junges Mädchen wurde vermißt, soweit war das Wehowskys Angelegenheit. Da sie mit Drogen zu tun hatte, sollte Roderich Unterstützung geben. Aber der ließ seinen Kollegen schlecht aussehen. Behielt Informationen für sich, beklagte die Behäbigkeit der *Pfeifen vom Elfer* und stichelte in der Kantine. Wehowsky war verzweifelt und wußte sich nicht zu helfen.

– Ich muß alles neu ermitteln, und die wissen schon längst Bescheid.

– Diese Ratte mobbt, hatte Brill trocken festgestellt. Den knöpf ich mir vor.

– Mach keinen Fehler, Horst. Ich kann die Geschichte ja auch Löw vortragen.

Brill lachte.

– Mann, Weho, das ist doch oberscheiße. Da stehst du doch als Petze da. Man muß den Typen stellen und ihm seine Grenzen aufzeigen, verstehst du? Bis hierher und nicht weiter!

Brill paßte Roderich unten im Archiv ab, zog ihn in den Heizungskeller und verprügelte ihn. Roderich war groß gewachsen, kräftig, hatte aber gegen Brill nicht den Hauch einer Chance. Zwei Tage blieb Roderich krank gemeldet. Dann kam er wieder und kuschte. Wehowsky schüttelte verzagt den Kopf.

– Horst, das kannst du doch nicht bringen.

– Wohl, erwiderte Brill, so lange ich körperlich noch dazu in der Lage bin und kein anderer mir die Fresse poliert. Alles andere hilft doch nicht. Du kannst an so einen Kerl hinschwätzen, was du willst. Der dreht dir jedes Wort im Mund herum. Hinterher intrigiert er wieder. Auf dem Terrain ist er zu Hause. Vergiß es! Keine Chance. Du mußt das direkt austragen, Weho.

– Laß mich jetzt!

Wehowsky strampelte und wehrte sich. Brill setzte ihn auf dem Schreibtisch ab.

– Du bist weich wie eine Butterkugel, Weho. Bißchen Fitneß täte dir auch ganz gut. Mit Gewichten arbeiten. Damit du mal Muskeln kriegst!

Wehowsky saß auf dem Schreibtisch, hauchte seine Brillengläser an und begann sie mit dem Taschentuch zu polieren. Er schüttelte den Kopf.

– Ich mach mich doch nicht lächerlich vor so Eisenfressern wie dir. Außerdem geht's mir gut. Ich fühle mich wohl.

Nach seiner Rückversetzung war Brill in eine Krise geraten. Er gab sich am LKA wie ein König im Exil, ließ seine Kollegen spüren, daß er die Arbeit hier als unter seiner Würde betrachtete. Pomadig und patzig. So trug er die Haltung vor sich her, bereits etwas Besseres gemacht zu haben. Zwangsläufig führte dies zu Streit. Als er gemaßregelt wurde, beschimpfte er seinen Vorgesetzten als Wichtel und Wichser. Kurz darauf erfolgte eine weitere Strafversetzung: Brill wurde wieder ins Dezernat II zurückgestuft, dorthin, wo er begonnen hatte. Nun änderte er seine Taktik: Dienst nach Vorschrift war seine Devise. Er konnte auch anders. Auch wenn er sich in dieser Einstellung verhärtete, wartete er doch immer auf eine Einladung von kompetenter Seite, seine eigentlichen Fähigkeiten einzubringen. Aber die kam nicht. Rechtzeitig in die Kantine, pünktlich nach Hause, gut essen und trinken, ich mache mir einen schönen Lenz, sagte Brill. Dieses Leben hinterließ Spuren, Brill wurde fett, schwoll auf über hundertzwanzig Kilo an. Seine früheren sportlichen Betätigungen hatte er eingestellt. Immer wieder laborierte er an Rückenproblemen: ausgerenkte Wirbel, eingeklemmte Nerven. Sie schickten ihn daher auf Kur. Dort hatte ihm der Arzt Massagen verordnet.

Bäuchlings lag Brill beim Masseur auf der Bank ausgestreckt. Der hatte ihn mit Öl eingerieben und bearbeitete, wie es ihm schien, statt der Muskulatur und des Rückgrats vorzugsweise seine weichen Hüften. Brill hatte sich einen Schwimmring angefressen, und der Masseur griff genau an die Stellen, die man eigentlich sensorisch in jeder Hinsicht hätte veröden müssen. Was der Masseur machte, war kalkulierte Bosheit, und Brill spürte, wie bei jedem Griff mehr Wut in ihm hochkam. Er konnte kaum noch den Deckel draufhalten. Gleich würde etwas passieren. Als der Masseur noch einmal die Seite knetete, drehte sich Brill um und schlug ihm die Hände weg.

– Wenn Sie mir noch einmal in die Hüften greifen, haue ich zurück.

Brill hatte sich hochgerappelt und sprach mit mühsam beherrschter Stimme.

Bei der nächsten Visite kam der Arzt auf den Vorfall zu sprechen. Er machte ihm keine Vorwürfe, sondern bat Brill, sich auszuziehen und vor den Spiegel zu stellen. Brill gehorchte. Ohne Bedeckung, neben ihm der Arzt, mit dessen Blicken er sich sah, gestand er sich ein, daß er in einem fürchterlichen Zustand war.

– Wie finden Sie sich?

– Fett, feist. Wie eine Blunze.

Bei einer Tasse Kaffee analysierten sie, was in ihm vorgegangen war. Der Masseur hatte gnadenlos seinen Schwachpunkt aufgedeckt. Die Hüften waren sein Erdnußgrab. Wenn er angesäuert oder gefrustet von der Arbeit zurückkam, riß er sich erst mal eine Dose in Öl gerösteter und gesalzener Erdnüsse auf. Am Anfang pickte er sie einzeln mit den Fingern heraus. Dann schüttete er sich Häufchen auf die Handfläche und ließ sie in den Mund rieseln. Später kam wegen des Salzes der Durst und mit ihm ein paar Biere dazu. Schließlich meldete sich der Appetit auf etwas Richtiges. Eine Pfanne Schinken mit Eiern oder ein Kotelett, vielleicht ein Steak, auf jeden Fall Bratkartoffeln dazu oder etwas ähnlich Deftiges. Dann zog er eine weite Trainingshose an und legte sich aufs Sofa, um sich einen ruhigen Abend zu machen. Prall, abgefüllt und mit schlechtem Gewissen, weil er einer geradezu tierischen Lustattacke nicht hatte widerstehen können.

Dann legte ihm der Arzt seine *Körperschnitz*-Theorie dar: Erinnerungen an Demütigungen und Niederlagen würden körperlich abgespeichert. Wie Schlacken lagerten sich solche Potentiale im Körper an. Sie würden dann habituell, schnitzten sich gewissermaßen ins Körperprofil ein oder polsterten es auf. Man sehe es den Leuten an, was sie im Laufe ihres Lebens eingesteckt hatten. Kriecher, Untertanen, Lügner – alles sah man an ihren Höckern, Bäuchen und verdrehten Rücken.

– Was soll ich tun? fragte Brill.

– Muskeltraining, sagte der Arzt. Körper und Geist sind eins.

So kam Brill wieder zum Sport zurück. Eisenwuchten im Fitneßstudio wurde eine meditative Angelegenheit. Viele, wie er fand, zumeist gute Gedanken kamen ihm dort. Regelmäßig kontrollierte er sich im Spiegel, um festzustellen, an welcher Stelle gearbeitet werden mußte. Trainingsmäßig weghobeln und glatt schleifen, gottverdammt! Und daraus die Kraft beziehen, in der Arbeit zurückzuhauen.

Auch an Lippschitz vom fünften Stock war dieser Zusammenhang zu studieren. Ab vierzig war Lippschitz aufgegangen wie ein Hefeteig. Rausgefüttert und gemästet wie Mamas Liebling. Beim Tennis war Lippschitz Brills Doppelpartner, und er agierte zunehmend wie ein Tanker mit großer Tonnage. Wenn er in eine bestimmte Richtung beschleunigt hatte, konnte er sich selbst nicht mehr aufhalten. Dann, zunächst unmerklich, im Resultat aber dann überdeutlich, war Lippschitz über die Monate dünn und muskulös geworden. Hatte sich die Schwarten abtrainiert, trank nur noch Mineralwasser und aß kein Fleisch mehr.

– Was hast du denn noch Großes vor, Lippschitz? fragte Brill.

Lippschitz lachte. Die ideale Rückhand, longline, aus vollem Lauf schlagen. Dann erzählte er, daß er endlich getan habe, was er schon viel früher hätte in Angriff nehmen sollen. Endlich habe er seine Frau verlassen. Früher habe er sich bei dem Gedanken an eine Trennung immer wie gelähmt gefühlt. Habe sich gedacht, so ein fettes Arschloch wolle ohnehin keine mehr. Daß was anders werden könnte, habe er erst geglaubt, als er in der Lage gewesen sei, seinen Körper zu verändern.

Genau das war es, meinte Brill, was ihm der Arzt vermittelte: Man muß sich einen neuen Körper maßschneidern, um seine Ziele erreichen zu können. Wenn man das Gefäß verändert, ist Platz für neue Inhalte. Aber das kapierten die wenigsten.

Brill gähnte und dehnte seine Glieder. Er streckte Bauch und Arsch gleichzeitig heraus. Die Pose eines Kraftmenschen.

– Bleib so, Horst! grinste Wehowsky. Und jetzt noch die Hände zusammen und die Arme hochrecken: wie unser Kanzler Schröder.

– Hunger, Weho! Was ist, gehen wir in die Kantine?

– Schlecht drauf heute mit der Arbeit? Ist doch erst halb zwölf!

Es gab Tage, da kniete Brill sich brachial in die Arbeit. Er ackerte sich wie besessen durch seine Vorgänge, bekam überhaupt nicht mehr mit, was um ihn herum ablief. Dann aber gab es solche Tage wie den heutigen, wo er nur herumsaß und angewidert auf das blickte, was auf seinem Schreibtisch lag, nichts anfassen wollte, aber auch nicht wußte, wie er die Zeit herumbringen sollte. Heute ließ er sich für das bloße Absitzen von Stunden bezahlen. Und das Zeitunglesen.

– Habe einfach einen Hänger.

– Warum?

Statt einer Antwort hielt Brill die *Abendzeitung* mit einem Bild von Friedrich Karmann hoch. Die Überschrift war: *Der Mörder kam mit der Aluklappleiter.* Seit einigen Tagen wurde in der *Abendzeitung* die Serie *Ungeklärte Morde* abgedruckt.

– Das wäre mein Fall geworden! Und diese Pfeifen haben bis heute noch nichts rausbekommen! Null!

– Mordfälle hast du doch genug hier. Wo ist das Problem?

– Du hast ja keine Ahnung, Weho. Karmann war der Präsident des Deutschen Industrietages. Diesen Fall durfte nur die Creme der deutschen Polizei bearbeiten.

– Und so was geben die nach München?

– Ach Scheiße, Weho, natürlich nicht. Das Ding lief von Bonn aus. Wenn du in München bleiben mußt, hast du doch die Arschkarte gezogen. Bärloch war mal mein Chef. Ist dir der noch ein Begriff?

– BKA oder?

– Nein, Sonderkommission. Und ich war mit vorne dran. Verstehst du das, Weho, ich war praktisch schon durch. Und dann das: Sie schicken Bärloch in die Wüste. Und sägen bei dieser Gelegenheit alle mit ab, die sie für seine Gefolgsleute halten. Mich versetzen sie nach München zurück.

Von nebenan streckte Riebl den Kopf durch die offene Türe und verdrehte die Augen.

– Weil du hinterm Mond gelebt hast! Mann, das war doch logisch.
– Schnauze, Riebl! Los, laß uns gehen, Weho!

Seufzend schob Wehowsky seine Papiere zusammen und folgte Brill.

6. Am Obersalzberg II

Bärlochs Alltag war wie früher im Amt. Das gab ihm Halt. Er stand immer schon um sechs Uhr morgens auf, frühstückte Eier und Speck und las dazu Zeitung. Hier begann er die Nachrichten auszuschneiden, die er in sein System übernahm. *Einpflegen und strukturiert vorhalten.* Viele, die früher für den *Roten Morgen*, die *Rote Fahne* oder ein anderes Kampforgan geschrieben hatten, kommentierten heute in bürgerlichen Blättern. Eloquent und maßvoll. Oder beackerten die Kultur. Von *F. M. Jakobs* erschien im *Panorama* eine Serie zum deutschen Kolonialismus. Porträts von *Lüderitz*, *Peters*, *Nachtigal* und anderen. Bärloch sammelte alles von *Jakobs.* Amon schrieb unter diesem Pseudonym. Bärloch runzelte bei der Lektüre die Stirn und knurrte. In Amerika würde wieder Marx rezipiert, hieß es. Aha! Kamen die nun auf den Trichter. Der Sozialismus niedergekämpft, Markt ohne Schranken, Monopolisierung, Loyalisierung des politischen Systems: Tendenzen, die alle im dritten Band des *Kapital* nachzulesen waren. Aber ihn fragte ja niemand, das war doch das Irre! Warum fragte ihn eigentlich niemand? Mit dem Bündel von Zeitungsausschnitten zog er sich in sein Arbeitszimmer zurück, aktualisierte die Daten und feilte an Rechercheprogrammen, die er selbst entwickelt hatte. Das war tagfüllend. Und hörte gerne Orgelmusik dazu. Hatte ja auch früher gerne seinen Arbeitsplatz mit einem Spieltisch verglichen, an dem sich machtvoll die Register ziehen ließen.

Auf den krummsten Wegen kamen die Menschen zu ihrer Biographie. Bärloch fand, daß er eigentlich eher musisch veranlagt war oder wenigstens doch das Zeug zum Philosophen hatte. In der Musik und der Philosophie wurden Systeme geschaffen, die Logik und

Schönheit hatten. Wie Organismen! Trotzdem war er Polizist geworden und, wie es ihm schien, aus der Not heraus, weil alle anderen unfähig dazu waren, auch noch EDV-Fachmann. E.T.A. Hoffmann war eigentlich Musiker, Zeichner und Maler. Schon sein Autorentum war ein Ausweichmanöver. Und ein Mensch, der mit so vielfältigen Talenten gesegnet war, hatte seinen Lebensunterhalt als Gerichtspräsident verdienen müssen! Oder Nikolai Kibaltschitsch, dessen Lebensgeschichte Bärloch so anzog, daß er sie aufgezeichnet hatte.

Kibaltschitsch ist Sohn eines Dorfpopen, ein Intellektueller und zunächst der theoretische Kopf der Gruppe *Volkswille*, die den Zaren zu eliminieren versucht. Solange sie planen, sind alle gleich. Als es dann an die praktische Ausführung geht, erweist sich, daß nur Kibaltschitsch die Talente eines Technikers hat. Er, der feinsinnige Intellektuelle, hat nun zentnerweise Dynamit herzustellen und Zünder zu konstruieren. In Petersburg richtet er sich ein provisorisches Labor ein, in dem er die Nächte hindurch bis zur Erschöpfung arbeitet. Eigentlich ist er der falsche Mann für diese Aufgabe, aber es zeichnet Menschen wie ihn aus, daß sie aus ihrer Deplaziertheit die eigentliche Stärke gewinnen. Als Solowjew auf den Zaren schießt und ihn verfehlt, erkennt Kibaltschitsch sofort, daß der Anschlag nicht nur mißglückt ist, sondern auch falsch war: metaphorisch falsch. Man muß Alexander in die Luft sprengen, Stich- und Schußwaffen sind abzulehnen. Ketten können nur gesprengt werden, der Panzer des autokratischen Systems muß bersten, erst dann gibt es Freiheit. Hätte denn die französische Revolution ohne die Guillotine stattfinden können? Deshalb arbeitet Kibaltschitsch an der Vervollkommnung von Sprengapparaten, die nicht nur ihre Wirkung tun, sondern auch einem revolutionären Konstruktionsprinzip entspringen. Am meisten leidet Kibaltschitsch an der Unzulänglichkeit der Zündvorrichtungen. Der Zündstrom wird durch einen Rumkorfapparat erzeugt und über Kabel an die Ladung geleitet. Ein anfälliges System! Oft muß er noch in der Nacht vor Aktionen an den Zündern arbeiten. Zudem, das wiegt noch schwerer, ist auch der Revolutionär durch das Kabel an die Ladung gefesselt. Vor jeder technischen Lösung erkennt Kibaltschitsch schon das Prinzip. Er entwirft einen Säurezünder ohne Kabel. Aus der Mine wird eine Handgranate. Damit gelingt es, den Zaren zu treffen. Allerdings läßt auch Grinewitzki sein Leben. Um mit einer Granate sicher treffen zu können, muß er zu nahe an den Zaren heran. Bald nach dem Zarenmord ist die gesamte Gruppe gefaßt oder aufgerieben. Auch Kibaltschitsch ist bereits verurteilt und sitzt im Gefängnis. Endlich, es sind nur noch wenige Tage bis zu seiner Hinrichtung, bringt er eine Idee zu Papier, die ihn umgetrieben und gequält hat: Es ist das Projekt eines Raketenflugapparats. Als Kibaltschitsch oben auf dem Galgengerüst steht, mit dem Schild *Zarenmörder* um den Hals, ist seine Lösung konstruktionsfertig. Allerdings hat er sie bereits wieder vernichtet, damit der Gegner nicht davon profitiert. Der zaristische General Totleben bedauert den Tod des Revolutionärs: Man hätte ihn zwingen müssen, für die Gegenseite zu arbeiten.

Der einzige, der Bärloch noch besuchte, war Herbert Kipfel. *Kipfel Systemhaus*. Der Anlaß war ein geschäftlicher, Kipfel lieferte die neuen Rechneranlagen und installierte sie.

– Unter uns gesagt, raunte Bärloch ihm zu, Programmieren ist Weltenschöpfung. Im kleinen Maßstab natürlich.

Beide hatten schon fünf, sechs Biere intus und saßen draußen im Innenhof.

– Du definierst dein Personal, seine Umgebung und alle Beziehungen. Aus dem Nichts! Am ersten Tag schuf Gott der Herr die Konstanten, am zweiten die Variablen und dann die Prozeduren!

Kipfel lachte zischelnd, wischte sich mit dem Handrücken den Mund ab, schauspielerte eine Leichenbittermiene und sagte greinend: Die Welt hienieden ist ein Jammertal! Wenn ich so sehe, was bei uns unten alles schiefläuft, denke ich mir, der liebe Gott hat vergessen, den *Debugger* über uns drüberlaufen zu lassen.

Bärloch zerriß es fast vor Lachen. Kipfel war auf seiner Wellenlänge. Das hatte sich schon bei der Einrichtung von PIOS gezeigt.

Bärloch hatte eine Idee, und Kipfel skizzierte, wie sie sich umsetzen ließ und welche Geräte angeschafft werden mußten. Mit seiner Hilfe hatte sich Bärloch ein umfangreiches Informationssystem auf den Leib schneidern lassen. Leider sah man sich nur noch selten, denn Kipfel hatte seine Firma immer noch in Bonn und lebte auch dort. Aber er ließ es sich in alter Verbundenheit nicht nehmen, Bärloch auch privat zu bedienen und ihm die jeweils neue Rechnergeneration selbst aufzubauen. Schließlich hatte Bärloch ihm damals Bundesaufträge verschafft und dafür gesorgt, daß ihm als Externem die Systemwartung und -pflege übertragen wurde.

Vor acht Jahren war Bärloch von Hilde, seiner Frau, verlassen worden. Bärloch war nicht entgangen, daß ihre Beziehung zunehmend verfiel, aber er fühlte sich außerstande, etwas dagegen zu unternehmen. Zuerst dominierte seine Karriere ihr Zusammenleben, dann schuf die Bedrohung seines Lebens einen ständigen Ausnahmezustand. Immer waren in der Nähe ihres Bonner Hauses Leibwächter postiert, die wußten, wer es betrat und wieder verließ, die jeden Streit und alle Eskapaden mitbekommen hatten. Auch ihre Ehe stehe unter ständiger Beobachtung, sagte Hilde. In dieser Phase standen sie zusammen, nie hatte Hilde sich beklagt. Dann kam der Umzug nach Herrnsberg, und sie hoffte, daß sich nach einiger Zeit das hinausgeschobene freiere Leben mit Reisen, Gesellschaften und anderen Vergnügungen einstellen würde. Aber Bärloch änderte nichts an seinem Tagesablauf, auch nicht an seiner Gewohnheit, das Haus nur in Ausnahmefällen zu verlassen. Anfänglich fügte Hilde sich dem Argument, daß eine Gefährdung seines Leben immer noch bestand. Aber nichts passierte, sie lebten jetzt in tiefster Provinz, ruhig und idyllisch, soweit man über die Kaserne hinwegsah, eine Bedrohung war nicht mehr nachvollziehbar, und niemand mehr, weder die Politik noch die Polizei kümmerten sich um den ehemaligen Leiter der Sonderkommission. Die Nichtbeachtung durch die anderen empfand Bärloch als eine Bedrohung seines Lebensentwurfs und organisierte, um einer aufkommenden Nachlässigkeit entgegenzuwirken, den Tag noch rigider um seine Bürostunden herum. Er lebte nicht, um zu reisen oder zu plaudern, sondern folgte einer immer undeutlicher werdenden Orientierung, nach der ein großes Projekt zu Ende gebracht werden mußte, bei dem man ihn rüde unterbrochen hatte. Deshalb saß er an seinem Schreibtisch und horchte, ob Hilde draußen im Gang war, damit er ihr nicht über den Weg lief, wenn er auf die Toilette mußte. Ein falscher Eindruck von Untätigkeit hätte entstehen können. Außerdem fürchtete sich Bärloch vor ihren Ansprüchen und wollte sie schon im Keim ersticken. Hilde verfuhr pragmatisch: Sie bemühte sich, ein neues Umfeld zu schaffen, in dem sie besser leben konnten. Knüpfte Kontakte, lud überraschend Leute ein. Aber Bärloch zeigte kein Interesse, nicht am Trachten- oder Musikverein, nicht am Stammtisch, nicht am Ortsverein seiner Partei. In staatsmännischem Gestus hielt er alle auf Distanz. *Der Herr Doktor Bärloch.* Was, zum Teufel, sollte er als Rheinländer mit Leuten anfangen, die Loden trugen und wie Oberförster aussahen? Und das Bundeskanzleramt haben die noch nicht mal von außen gesehen. Auch nach Nürnberg wollte er nicht. Wenn es anstand, war es ihm doch zu weit. So gab es kein Konzert, kein Kino, kein Theater.

Es dauerte noch sechs Jahre, bis dann neunzehnhundertneunzig der schwelende Konflikt zwischen Hilde und ihm zum Ausbruch kam. Punkt zwölf hatte sich Bärloch wie gewohnt zum Mittagessen an den Tisch gesetzt. Hilde hatte diesmal Gemüselasagne gekocht. Traurig schaute Bärloch auf seinen Teller und schob die Gemüsebrocken in den Mund. Zucchini, Broccoli und Auberginen. Hilde beobachtete ihn gespannt, Bärloch gab aber keinen Mucks von sich. Denn Hilde hatte hektische Flecken auf den Wangen.

– Komm, sagte sie hinterher und zog die Schiebetür auf, laß uns den Kaffee heute mal draußen trinken.

– Vorsicht, murmelte Bärloch mechanisch, denn Hilde hatte wieder einmal vergessen, den Alarm zu entschärfen. Es pfiff durchdringend laut, als sie die Lichtschranke durchschritt.

– Scheiße, fügte er hinzu und ging ebenfalls nach draußen, um ihn abzustellen. Hilde, bitte, paß doch auf, ja?

– Ich halt das nicht mehr aus!

Endlich konnte Hilde sich Luft machen.

– Was ist das für ein Scheißleben! Ich bin hier eingesperrt mit dir. Alles, was du tust, denkst und redest, ist irgendwie *dienstlich*. Nichts anderes paßt in deinen Kopf. Fanatisch, krank! Dabei bist du jetzt seit Jahren Pensionär. Zwischenmenschliche Bedürfnisse, das ist bei dir so organisiert, als würdest du dir an der Bude schnell eine Bratwurst abholen. Eine so dramatische Persönlichkeitsveränderung habe ich noch nie erlebt. Du bist abgestumpft, leer, menschlich tot!

Bärloch sagte nichts, zog statt dessen die Augenbrauen hoch, schnalzte mißbilligend mit der Zunge und schüttelte den Kopf. Diese hochmütige Geste trieb Hilde zur Weißglut. Wie ihm der empfindlichste Schlag versetzt werden konnte, wußte sie ohnehin. Sie werde nun endlich das tun, wonach ihr schon lange zumute gewesen sei, und diesen Scheißcomputer aus dem Fenster befördern. Behende sprang Bärloch auf, wieselte in sein Zimmer und sperrte von innen ab. Dann hörte er, wie Geschirr an seiner Tür zerschellte.

So kam es, daß Hilde ihn nach sechs Jahren Herrnsberg verließ.

Als Hilde weg war, fühlte sich Bärloch leichter und freier. Niemand reglementierte ihn mehr, wenn er spät nachts noch am Rechner saß. Und er aß, wonach ihm zumute war. Er hatte sich einen großen, gasbetriebenen Vulkansteingrill angeschafft, ein solides, gut gearbeitetes Gastronomiemodell, auf dem er sich Fleisch und Würste briet. Die Gasflasche öffnen, ein Zündholz in den Schlitz fallen lassen: Flapp!, und schon wurden die Vulkansteine erhitzt. Später wurde der Grill nach oben gedreht, so daß kein Fett, keine Verschmutzung an die Steine kam. Praktisch wartungsfrei. Dazu Bier aus der Flasche. Plopp! Schwungvoll den Kronkorken abstemmen und ihn in hohem Bogen in den bereitgestellten Eimer werfen, wo er klickend unter seinesgleichen verschwand. Hilde hatte diesen Eimer immer ins Haus zurückgestellt. Immer. Jetzt blieb er dort stehen, wo er gebraucht wurde. Praktisch! Frei nach Heidegger, so ganz der Logik des Zuhandenen folgend, sagte Bärloch. Auch der Löffel neben der Teedose durfte nun liegen bleiben. Auch er wurde ja jeden Tag benutzt. Ein Teller, eine Tasse, ein Besteck genügten im Prinzip. Nach Gebrauch kurz abwaschen, fertig war die Laube. Kein Gedöns mehr um den Haushalt. Das war gut. Es war ein Gefühl, das dem einer sturmfreien Bude nahekam. Aber für wen?

Früher durfte Bärloch nie mit seiner Zigarre in die Blumentöpfe hineinaschen. Obwohl das ja seiner Ansicht nach Dünger war. Jetzt schon, soviel er wollte. Aber bald war die Erde so trocken wie die Asche, die er dort abklopfte. Selbst Lena, seine Putzfrau, hatte das nicht verhindern können, schließlich brauchte sie auch einmal Urlaub. Als die letzten Blumen verdorrt waren, wurde ihm klar, daß er in Hilde einen notwendigen Widerpart verloren hatte.

Natürlich konnte er in seinem Haus tun und lassen, was er wollte. Ab und zu lud er sich junge Soldaten ein. Die saßen auf seiner Terrasse, drehten verlegen die Bierflasche in den Händen und hörten zu, wenn Bärloch dozierte. Am liebsten über das Internet. Nach zwei Stunden wurde es langweilig, und Bärloch schickte sie wieder weg. Im Lichte der Marxschen Theorie nannte es Bärloch Verelendung, was mit ihm vor sich ging. Das ist sie, die Verelendung, sagte Bärloch zu sich, als er sich breit, extrabreit, in sein Bett rollte. Ein lichter Moment, der anhielt, als er am anderen Morgen seine Müdigkeit analysierte: Acht Stunden Bettaufenthalt. Davon gut und gern drei Stunden Alkoholkoma, macht fünf Stunden Schlaf: Das ist zuwenig! Zum ersten Mal faßte er den Gedanken, Hilde anzurufen, um sie zu bitten, zurückzukommen. Traurig, daß ihm zur Gestaltung seines Lebens nicht mehr einfiel. Positiv denken: Was macht man mit seinem Leben? Aber an diesem Punkt waren auch andere gescheitert. Marx hatte den Kapitalismus scharfsinnig zerlegt, der Kommunismus blieb eine Leerstelle: Jagen, fischen – lächerlich! Das war doch für einen Menschen mit ausgeprägten geistigen Interessen keine Alternative.

Vom ersten Gedanken an Hilde bis zur Tat verging eine lange Zeit. Erst mußte dieser Wunsch so drängend werden, daß er sich von Bärlochs abgedumpftem Dahinleben lösen und eine selbständige Existenz und Stimme gewinnen konnte. Eine fremde. Ruf Hilde an! sagte sie. Das war nun ein innerer Befehl geworden, und Bärloch befolgte ihn deshalb auch.

Wochenlang hatte Bärloch nun versucht, Hilde zu erreichen. Weihnachten verbrachte sie auf Teneriffa. Anfang Januar kam sie zurück, erst zwei Wochen später rief sie ihn an. Als Hilde endlich mit ihm sprach, war er so bedürftig, daß er nur noch herausbrachte: Hilde, bitte, besuch mich! Bärloch war kurzatmig, keuchte und schnaufte vor Aufregung.

Hilde lachte nur, fühlte sich aber geschmeichelt und versprach, ihn zu besuchen.

– Gelegentlich, schränkte sie ein. Du weißt, daß dieses Kapitel für mich abgeschlossen ist.

Am Tag, für den sie ihr Kommen angekündigt hatte, schwitzte Bärloch. Er dünstete in nervöser Erregung wie ein Roß und duschte daher ein zweites Mal. Er hatte nichts anzuziehen. Der Kleiderschrank war groß und voll, aber vieles war zu eng geworden und der Rest entsprach nicht dem Bild, das er abgeben wollte. Schließlich entschied er sich für eine beige Hose, einen schweren Gürtel mit breiter Metallschnalle, ein grobkariertes Holzfällerhemd, dazu als Krawattenersatz einen Lederriemen durch den Kragen, der von einer Schmuckbrosche vorne zusammengehalten wurde. Diese Ausstattung hatte er von einer Amerikareise mitgebracht, aus Houston, Texas, wo man sie ihm als landesübliche Tracht hatte anmessen lassen. Westernartig, Typus Rinderbaron, fand Bärloch. John Wayne machte auch mit Bauch noch eine ordentliche Figur. Das konnte Bärloch jetzt am ehesten darstellen. Und es wirkte, als habe er jahrelang Urlaub gemacht, als komme er von weit her, um Hilde jetzt wieder als neuer Mensch gegenüberzutreten. Das Hauptproblem waren jedoch die Hände. Mangelernährung, hatte der Arzt diagnostiziert. Das permanente Grillfleisch. Keine Vitamine. Bärloch hatte einen Ausschlag, der mit Cortisoncreme behandelt werden mußte. Deshalb trug er weiße Handschuhe.

All das schien Hilde gar nicht zu sehen, als sie kam. Mein Gott, bist du fett geworden, entfuhr es ihr, als sie ihn sah. Bereits nach wenigen Minuten wußte Bärloch, daß seine ganze Aktion sinnlos gewesen war. Es ging nur noch darum, Fassung zu bewahren. Er ließ Kaffee und Kuchen aus der Kantine nebenan servieren, versuchte mit Hilde zu plaudern und verabschiedete sie nach zwei Stunden.

Bärloch lehnte noch lange an der Türe, die er hinter ihr verschlossen hatte. Er dachte an ihre weichen, warmen Hände, mit denen sie früher seinen Rücken gestreichelt hatte. Entspannt träumend war er bäuchlings im Bett gelegen und hatte sich treiben lassen. Wie eine Wolke. Die angenehme Berührung, der er sich ergeben hatte, hatte eine ätherische Vorstellung in ihm hervorgerufen, daß sich die harten Konturen und die Schwere seines Körpers auflösten und er, gewichtslos und luftig geworden, zu schweben begann. Vorbei! Bärloch spürte Druck in seinem Schädel, als beginne seine Hirnmasse zu schwellen, dazu hatte sein Herz zu rasen begonnen. Er ging an den Wohnzimmerschrank, goß sich einen großen Cognac ein und stürzte ihn hinunter. Er ließ sich in den Sessel fallen, legte die Beine hoch und versuchte sich wieder in den Griff zu bekommen.

Welches Pflaster ließ sich auf diese Enttäuschung kleben? Gottverdammte Scheiße, ich brauche eine Frau, fuhr Bärloch wieder hoch. Aber hier auf dem Land gab es weit und breit keine Clubs, daher ließ er wie schon früher etliche Male eine Prostituierte kommen. Sie inserierte in der Zeitung unter Modelle als *devotes polnisches Luder mit 125 cm Natur.* Eigentlich fühlte sich Bärloch vom Hypertrophen eher abgestoßen, er war schlanken Figuren zugetan, verbot sich aber diese Vorliebe. Sie ephebisch, er rund und fett, ein solches Mißverhältnis der Körpermaße mußte ins Lächerliche umschlagen. Kein Orgelbauer stellte die Diskant- neben die Baßpfeife. Der schwierigste Teil war, dafür zu sorgen, daß sie vorgelassen wurde. Den Soldaten, die vorne am Schlagbaum Dienst schoben, kündigte er sie als seine Nichte an. Bitte ohne Ausweiskontrolle, ich bürge! Die vorgeschobene Geschichte war eine Demütigung, aber sie war erträglicher, als die Wahrheit offen auszusprechen. Natürlich glaubte auch der Wachdienst nicht mehr an diese gnädige Lüge, denn Bärlochs Nichten waren immer stark geschminkt und aufreizend angezogen. *Ewa* kam in einem cremefarbenen Sportwagen vorgefahren.

Bärloch begrüßte Ewa in einem blauen Bademantel. Er war frisch geduscht und roch nach Rasierwasser, das er sich auf die Brusthaare geklopft hatte. Als er Ewa sah, war ihm klar, daß er sich von ihr eigentlich nicht anfassen lassen wollte. Sie hatte nichts an sich, was seine Sehnsucht hätte erfüllen können. Er ließ sich auf dem Bett nieder, bleischwer und mit dem Gefühl, in der Matratzekuhle wie in einem Loch zu sitzen. Am liebsten wäre es ihm gewesen, wenn sich das Ganze schnell und wortlos hätte erledigen lassen. Sie wieder wegzuschicken, wagte er nicht, zu seiner Traurigkeit wäre das Gefühl des Versagens hinzugekommen.

– Doktorspiele kosten extra, sagte sie und wies auf seine weißen Handschuhe. Oder bist du irgendwie pervers?

Bärloch schüttelte den Kopf und zeigte auf das Geld, das auf dem Tisch lag. Als sie es nachzählte, sagte er schnell: Oben herum bitte nicht ausziehen.

– Wie denn dann? fragte sie.

– Französisch, raunzte Bärloch, ich bin doch kein Artist mehr in meinem Alter.

Hinterher briet Bärloch Koteletts und betrank sich. Er lag im Wintergarten auf seiner Komfortliege, die er nach hinten geklappt hatte, und schaute in den Sternenhimmel. Neben ihm stand der Bierträger. In diesem Zustand kehrten stets dieselben Bilder wieder. Bärloch war vor Jahren in Begleitung des früheren Innenministers Gleitkow auf Staatsbesuch in Algerien gewesen. Bärloch hatte das deutsche Fahndungssystem erläutert. Zum Abschluß wurden sie von Tamanrasset aus in die Sahara gefahren. Der Innenminister hatte sich dies gewünscht. Unendlich weit, braun und heiß, ein Wüstenmeer – Bärloch hatte dergleichen noch nie gesehen. Man konnte beobachten, wie sich die Luft über dem glühenden Sand erhitzte, aufstieg und sich in flimmernden Wellen verwirbelte. Bärloch keuchte und trank. Und schlief draußen im Liegestuhl ein.

Der Arzt im Ort, den Bärloch von Zeit zu Zeit aufsuchte, blickte niedergeschlagen von seinen Aufzeichnungen auf. Bärloch saß mit nacktem Oberkörper auf der Untersuchungsliege und wartete auf Verschreibungen. Wieder einmal war er mit blutunterlaufenen Augen, Leberschmerzen und asthmatischer Kurzatmigkeit gekommen und hatte gefragt, was mit ihm los sei, es gehe ihm nicht gut.

– Herr Doktor Bärloch, sagte der Arzt, mag ja sein, daß Sie nie wieder zu mir kommen. Aber bevor ich hier den Kurarzt mime, Pülverchen verschreibe und Patschhändchen halte, mache ich lieber den Viehdoktor. Irgend jemand muß ja mal mit Ihnen Klartext sprechen: Keine Bewegung, fressen, rauchen und saufen – das ist es, was Sie krank macht. Sie brauchen keinen Arzt und kein Medikament, sondern ein anderes Leben. Alles klar?

Bärloch nickte. Seine Augen waren feucht geworden. Ostentativ lange drückte er dem Arzt beim Abschied die Hand. Bärloch hatte sich zu Hause mit dem Taxi abholen und in die Praxis fahren lassen. Jetzt wollte er zu Fuß gehen. Alles, von seiner Frühpensionierung bis hierher, war ein freier Fall gewesen. Immer tiefer. Jetzt war er angekommen, schien ihm. Er ging über den gepflasterten Marktplatz zum Tor hinaus und langsam, Schritt für Schritt, den Berg hoch.

Eine erste kräftige Frühlingssonne durchwärmte den Tag, der so kühl begonnen hatte. Es ging auf Mittag zu. Am Straßenrand hatte man den letzten Schnee zu einem Haufen zusammengeschippt. Seine Oberfläche war schon grobkörnig-schmutzig, Wasser sickerte an den Seiten heraus, dazwischen hatten sich tiefe Taufurchen eingefressen – bald würde er verschwunden sein. Saftsack, sagte Bärloch zu sich. Nach allen Seiten auslaufend. Nur ein Stück Dreck bleibt übrig. Der Gedanke trieb ihm wieder Tränen in die Augen. Von oben kam ihm ein alter Mann mit Gartenwerkzeugen und Primeln in einer Holzkiste entgegen. Sicher waren Gräber zu versorgen. Ach was! Bärloch versuchte seinen Gedanken eine andere Richtung zu geben. Dabei war doch der Frühling seine Jahreszeit. Mehr als die anderen. Seine Wärme war frisch. Früher hatte er auch den Sommer gemocht. Das war vorbei, nun war er nur noch abgestanden und heiß. Und nach ihm kam der Herbst, und der war schon wieder kalt. Schließlich die Qual des Winters. Und wieder war dann ein Jahr vergangen. Nur der Frühling war ein Versprechen. Immer schönere Tage. Bis zum Juni, dann, nach der Sonnwende, war es vorbei. März, April, Mai – das war seine Jahreszeit. Alles andere war schon Abstieg. Schneeglöckchen und Krokusse verschwunden, Osterglocken verwelkt, Forsythien bereits verblüht. Das Gift des Alters! Schleichend verödete es alle Zufluchtsorte. Hatte den Sommer geholt, würde auch den Mai, den April holen. Zuletzt den März. Dann war Sterbenszeit. Vortreten, würde es dann heißen. Bärloch atmete schwer. Das Hemd klebte ihm am Leib. Als habe er körperliche Arbeit zu verrichten.

Bärloch schlief schwer ein. Wachte nachts mit beschleunigtem Puls auf. Pumpte sich herzschlagweise Stationen seines Lebens durch den Kopf. Alles schien ihm verdorben und verfehlt.

7. Gedächtnisphotographien II

Gegen sieben Uhr früh hatte Jakob den Artikel über Bismarck fertiggestellt. Er beschriftete und frankierte ein Kuvert, um seine Arbeit abschicken zu können. In den Briefkasten konnte er es allerdings erst später stecken, zuvor mußte noch im Copyshop eine Kopie angefertigt werden, und der öffnete erst um zehn Uhr. Aber das spielte keine Rolle. Die ganze Spanne, bis er sich dann schließlich doch ins Bett legte, war geschenkte Zeit. Ein Ausklingen ohne Druck und Zwang, ein Dahingleiten. Jakob zog eine Jacke an, klemmte sich das Kuvert unter den Arm und trat hinaus auf die Straße. Er holte sich eine Zeitung und setzte sich ins Café. Alles sah er wie durch Milchglas, gedämpft und verzögert. Dabei war aber seine Wahrnehmung überempfänglich. Wo er sich festhakte, verlor er sich. Waten in einem zähen Sumpf von Gedanken.

Nach grauverhangenem Tagesbeginn war jetzt die Sonne herausgekommen. In einem Lichtkorridor unter einer großen Kastanie sah Jakob vor dem Café einen Penner sitzen, den er für sich Indianer Jones genannt hatte. Er trug einen Pepitahut, unter dem langes, fettiges Haar hervorkam, das bis zu den Schultern reichte. Sein Gesicht war zerfurcht, verwittert, ständig gerötet und von einer fleischigschweren Nase beherrscht. Er saß da und schaute mit alkoholisierten, durch die Dauerübung abgehangenen Blick nie auf das Umliegende, sondern immer in die Ferne, als habe er nicht Häuser und Mauern, sondern freies, weites Land um sich. Wie ein alter Indianer auf dem Gipfel eines Berges.

Jakob bestellte Kaffee und ein Nußhörnchen. Draußen hetzten Leute vorbei auf dem Weg zur Arbeit. Dieses geregelte Leben war für Jakob längst vorbei. Sich mit anderen abstimmen, pünktlich sein! Geblieben war aus dieser Zeit des geregelten Arbeitslebens nur noch ein Traum, den Jakob in Variationen immer wieder träumte. Daß er in Eile zu einem dringenden Drehtermin unterwegs war, zu Fuß. Aber es war ein Gefühl beim Gehen, als würde er in hüfthohem Wasser waten. Jeder Schritt vorwärts eine Überwindung großen Widerstands.

Was machten die Mitstreiter von damals? Mit Heinz, dem Toningenieur, hatte er gerne gearbeitet. Er hatte inhaltliche Ansprüche, obwohl das niemand interessierte. Er saß auf einem Campingstühlchen, das er sich immer mitbrachte, hatte die *Nagra* auf dem Schoß, den Kopfhörer auf, regelte an den Knöpfen und hielt das an einer Teleskopstange befestigte Mikrophon über sie. Heinz rauchte ständig und hatte sich die Zigarettenschachtel bei Produktionen an seine Hosenbeine *getapet*, um sich immer bedienen zu können. Wenn Jakob seine Gesprächspartner dazu brachte, etwas Entlarvendes zu sagen, grinste Heinz, dabei zog es seine Nickelbrille noch näher heran, so daß die Gläser fast auf den Augäpfeln aufzuliegen schienen und es aussah, als lägen sie in Gelee. Denn seine Augen waren gelblich, wie vom vielen Rauchen, sein Gesicht gerötet, er trank gern. Heute? Wahrscheinlich versumpft. Aus keinem war ein strahlender Held geworden. *Loser*, die immer alles zu wörtlich genommen hatten. Heute noch schwitzig und verkrampft, immer noch geplättet und fassungslos, weil sich die Welt nicht änderte.

Bewegung draußen weckte Jakob aus seinen Erinnerungen. Der Russe hatte sich zu Indianer Jones gesetzt. Sie redeten nicht miteinander, duldeten sich aber, so wie Gleichartige sich dulden. Jakob merkte, daß er unablässig in seiner Tasse rührte und nach draußen sah. Gleichartig! Er gehörte zwar nicht zu ihnen, aber die Kluft war immer schmaler geworden. Ihre Existenz war ihm nahegerückt. Früher war es mehr ein Botanisieren gewesen, Charaktere und Figuren zu sammeln und aufzuspießen, ihre Verbildungen und Narben zu entziffern. Eine Beschäftigung, dachte er, wenn man sonst nichts zu tun hat. Aber Jakob hatte sich selbst isoliert, zunächst, um sich zu schützen, dann hatte sich das Alleinsein zum Alltag verfestigt und jetzt blieb es so, weil er nicht mehr zurückkonnte. Es strengte ihn an, andere zu treffen. Nach kurzer Zeit merkte er, daß er sie nicht ertrug. Ihr Gerede, ihre Ansprüche. Er wich aus. Nur Helga blieb eine Ausnahme, ein Ankerpunkt, und er machte große Anstrengungen, sie zu halten. Trotzdem blieben ihre Treffen ja sporadisch, Helga war keine Frau, die auf seinem Schoß sitzen wollte. Durch seine Isolation war Jakob über die Jahre selbst ein Einzelgänger und Versprengter geworden. Im normalen Leben hielten ihn seine Arbeit, seine Bücher und eben Helga. Brach noch eine Stütze weg, ging es wahrscheinlich dahin. Deshalb gestand er sich ein, daß ihn solche abgestürzten Existenzen beschäftigten, weil er sich wiedererkannte.

So einschneidend schien der Übergang gar nicht zu sein. Auch bei den Pennern standen immer wieder Neue dabei, als gehörten sie nicht dazu. Scheinbar Passanten, die ein paar freundliche Worte mit denen wechselten und auch einen Schluck aus der Flasche nahmen, um sie nicht kränken. Sie trugen Anzug und Mantel, sauber, gebügelt und nicht so verschwartet wie eine Pennerkluft. Ihnen ihre Distanz zu lassen, gehörte dazu, das war ein Aufnahmeritual. Wenn jemand im freien Fall befindlich war, mußte man nicht schon *bumm!* schreien, bevor er unten aufschlug. Die kamen aber immer wieder, und wenn sie einige Male auf der Parkbank oder in der U-Bahn übernachtet hatten, verschwand der Unterschied, und am Morgen brauchten sie sowieso erst mal die Flasche, das ebnete alles ein.

Jakob wußte gar nicht, ob der andere wirklich Russe war. Er war ein plump wirkender alter Mann, der auch im Winter in ausgetretenen Sandalen dahinschlurfte. In seinem Gesicht hatte sich alles abgesenkt, so daß er unter seinem Kinn einen schweren Hautsack trug. Im Abstand von einigen Tagen verfiel der Russe einem Zwang: Er schob einen leeren Einkaufswagen vom nahe gelegenen Supermarkt die Straße auf und ab. Vielleicht eine Stunde lang. Das Schieben des Wagens bereitete ihm Mühe, das Pflaster senkte sich zur Straße hin, weswegen er den Wagen nur schräg zur anderen Seite hin gerichtet vorwärts bewegen konnte. Die kleinen Räder des Wagens verkeilten sich, er blieb hängen, hüpfte und schlug. Es strengte ihn an, sein Gesicht wurde rot, aber er konnte nicht anders. Und diese Arbeit lastete auf ihm, er spürte sie und litt unter ihr, daher wurde er immer nach einiger Zeit von wüsten Fluchanfällen geschüttelt, die ihn von innen heraus nach vorne, nach oben oder zur Seite rissen. Er schrie, er röhrte, sein Gesicht schwoll rot an, und er machte dabei Sprünge, als würde er vorwärts gestoßen. Das alles gehörte keiner Sprache an, aber es klang so, als würde einer versuchen, eine wüste Horde von Kosaken zu bändigen. Deshalb nannte Jakob ihn den Russen.

Dem Russen war ein Fluch auferlegt. In dessen sinnlosen, wiederkehrenden Bemühungen erkannte Jakob seinen Zwang, immer wieder neu, aber ohne Resultat die eigene Vergangenheit zu bearbeiten. Sie wurde nicht anders oder besser. Sie verflüchtigte sich auch nicht. Im Gegenteil, alle wichtigen Stationen blieben eingeprägt, Personen und Gegenstände waren auf Gedächtnisphotographien festgehalten, Vergessen war ausgeschlossen. Jakob rührte immer noch in seiner Tasse, wenn er so weit abgedriftet war, blätterte er in einem Album biographischer Bilder, die sich wie von selbst zu bewegen begannen. Ganz am Anfang: die *Knarre.* Unten am Kolben wurde das zehnschüssige Magazin eingeschoben. Einrasten lassen. Seitlich die Sicherung lösen. Hinten erhaben die Kimme, vorne am zylindrisch verdickten Lauf das Korn. Die Gravur an der Seite *Hi-Standard. Supermatic.* Heute noch dieses Gefühl, wie der kalte Stahl in der Brusttasche steckt. Jedes Detail aufgehoben. Dieser eisige Novembermorgen mit frühem, hartem Frost. Alles war vorbereitet. Seit Wochen existierte Jakob in einem Niemandsland. Kein fester Wohnsitz, keine Arbeit mehr angenommen. Er gehe auf Weltreise, hatte er Doerenbach vom Hessischen Rundfunk gesagt. Zunächst über Frankreich und Spanien Richtung Afrika. Er hatte sich einen ausrangierten Diesel der Paketpost gekauft und ihn bei Lupo zum Campingfahrzeug ausgebaut. Lupo betrieb auf einem aufgelassenen Tankstellengelände eine Autowerkstatt. *K.F.Zollektiv.* Spezialistenarbeiten machte

Lupo, den Rest erledigte Jakob selbst, denn Werkzeug gab es dort zu leihen. Mitte Oktober brach Jakob auf und langte Anfang November an der Algarve an. Er stellte seinen Bus auf einem Campingplatz ab, fuhr mit dem Zug nach Sevilla und nahm dort unter falschem Namen ein Flugzeug nach Frankfurt. Jakob hielt sich von allen Freunden und Bekannten fern. Er besorgte sich in einem Baumarkt eine Aluklappleiter. In der Nacht ging er zur Werkstatt von Lupo und holte sich einen der dort abgestellten Wagen. Wem auch immer das Auto gehörte, der Besitzer hatte ein reines Gewissen, sicher auch ein Alibi. Jakob hatte am Vorabend schon das Zimmer in seiner Pension bezahlt, er wolle frühmorgens aufbrechen. In der Nacht dann ein plötzlicher Frost. Die Autos waren mit Reif überzogen. Kurz nach vier fuhr Jakob los. Dick eingepackt in Wollpullover und Lederjacke. Und immer Handschuhe tragen! Jakob zitterte, wurde nicht warm, denn in der Brusttasche steckte der kalte Stahl der Knarre wie ein Eisklotz. Schubweise stieg dieses Zittern auf, so daß er immer wieder unwillkürlich die Arme seitlich an den Brustkorb preßte. Trotzdem sagte er sich auf der Fahrt noch einmal jeden Schritt und jedes Detail seines Ablaufplans vor, wie er ihn nach den Erkundungen der Villa festgelegt hatte. Gegen fünf Uhr langte Jakob in Bad Homburg an. Es war neblig. Er parkte den Wagen ein paar Straßen vor Karmanns Villa, zog über seine Lederjacke einen grauen Kittel aus Lupos Werkstatt, dazu eine schwarze Strickmütze tief ins Gesicht, die Leiter geschultert, in der Seitentasche eine Beißzange: ein früher Handwerker auf dem Weg zur Arbeit. Bei der Villa angekommen, stieg er über den Zaun und ging zu der breiten, protzigen Eingangstür mit geschmiedetem Klopfer. Stellte die Leiter zunächst ab und zwickte das Telephonkabel ab, das dort seitlich aus der Mauer kam. Ging dann weiter ums Haus zum Schlafzimmer. Das Fenster war geöffnet, Jakob stellte die Leiter auf und stieg hoch. Das Fenster war nur einen kleinen Spalt geöffnet. Jakob drückte es vorsichtig auf. Er schloß eine Weile lang die Augen, um sich besser an die Dunkelheit im Schlafzimmer zu gewöhnen, und streckte dann so weit es ging den Kopf ins Zimmer hinein. Roch jetzt ihre Schlafdünste, die von den beiden Betten aufstiegen: muffig-warm, Schweiß, überständiges Parfüm und säuerlicher Alkoholgeruch. Jakob zögerte, das waren zwei Menschen in ihrem Bettstall. Karmanns Frau ruhte wie aufgebahrt, den Kopf auf zwei großen Kissen, über den Augen eine Schlafbrille. Ihr Mund war halb offen. Karmanns Gestalt war nicht auszumachen, aber er lag vor ihr, vollständig in sein Federbett verkeilt. Innere Überzeugung gab es bei Jakob angesichts des nun Anstehenden nicht mehr. Alles war gedanklich so präpariert, daß es schon der Vergangenheit angehörte, obwohl es noch nicht geschehen war. Jakob hatte sich auf einer vorgezeichneten Bahn selbst beschleunigt, deren Endpunkt gegeben war. Er zog die Pistole, entsicherte sie, zielte genau dorthin, wo er die Füße vermutete, hielt dazu mehr nach unten, damit die Frau nicht von einem Querschläger oder einer sonstwie verirrten Kugel getroffen würde, und schoß dreimal. Alles blieb gedämpft, es machte nur *plopp*, als die Kugeln die Bettdecke durchschlugen. Karmann gab keinen Laut von sich, beim zweiten Schuß schien ein Ruck durch seinen Körper zu gehen. Frau Karmann richtete sich auf und rief: Friedrich, was ist denn das? Jakob war schon von der Leiter heruntergestiegen, ließ sie stehen und lief los. Erreichte das Auto. Schaltete gleich das Radio ein. Nur Morgenmusik. An der Auffahrt zur Autobahn hielt Jakob an und warf die Pistole die Böschung hinunter. Er brachte den Wagen zur Werkstatt zurück, hängte Kittel und Schlüssel an ihren Platz und legte die Zange auf den Werktisch zurück. Nahm nun die S-Bahn weiter zum Flughafen, checkte ein und hob pünktlich um acht Uhr siebzehn ab. Was war? Nichts, so schien es Jakob. Keine Nachrichten, kein Notruf, keine verschärften Kontrollen. Er dachte, er habe danebengeschossen.

Diese Bilder veränderten sich nie, alles andere verblaßte zunehmend. Jakob aß irgendwo zu Mittag, lief umher, sah sich den Dom von Sevilla an und fuhr zurück zur Algarve, wo sein Bus stand. Am nächsten Tag las er in der Zeitung, daß Karmann tot war.

Jakob winkte die Kellnerin heran und zahlte sein Frühstück. Der Copyshop war jetzt geöffnet. Er nahm trotzdem nicht den direkten Weg. Hinten an der Westermühlstraße begegnete Jakob dem Nöck, der um die Ecke schlurfte. Der Nöck, auch er gehörte in die Reihe der *Mühseligen und Beladenen*, die Jakob immer wieder auffielen. Ein dicker, alter Mann. An einen Wassergeist erinnerte Jakob sein breiter, warziger Schädel, der ohne Hals vorne auf der Brust zu sitzen schien. So äugte er immer von unten herauf wie einer, der ständig vom Seegrund aus die Wasseroberfläche beobachtet. Sein Gesicht war gerötet, stoppelig, sein Haar stand filzig und borstig an den Nackenwülsten ab. Der Nöck konnte seinen Hals nicht mehr bewegen, wenn er sich zur Seite wendete, drehte er den gesamten Oberkörper. Auch bücken konnte er sich nicht mehr. Unterhalb der Gürtellinie half ihm nur noch Tasten. Deshalb wohl war sein Hosenschlitz fast immer falsch geknöpft, der oberste Knopf in der Mitte des Gegenstücks angesetzt. Die graue Hose war stets fleckig, versifft. Der Nöck ging am Stock, steif, schlurfend, ein Bein nachziehend, mit dem anderen oft abknickend, dabei schnaufte er schwer und zischend. Er blieb stehen und grüßte Jakob. Zog dazu nur ein wenig die Oberlippe hoch und nickte. Er hob seine rechte Hand ein wenig und streckte sie zitternd Jakob entgegen. Jakob wußte, was diese Geste bedeutete, und gab ihm fünf Mark.

Was Jakob in diesem übermüdeten Zustand widerfuhr, war eine völlige Einstülpung der Außenwelt in seinen Kopf. Alles wurde zum Gespinst, die Übergänge zwischen außen und innen waren fließend geworden. Weiterblättern im Album der biographischen Bilder. Auch die nächste Seite war Karmann gewidmet. Seinem zweiten Leben. Was er getan hatte, wollte nach seinem Tod niemand mehr wissen. Er war zu einem Blutzeugen der Republik geworden. Karmannstraße, Karmann-Halle, Karmann-Stipendium. Der Tod von sechzig Menschen vergeben und vergessen. Keiner Rede wert. Hätte damals, fünfundvierzig, eine der Geiseln eine versteckte Waffe gezogen und Karmann erschossen, gäbe es einen tschechischen Freiheitshelden, der durch seine Tat das Leben vieler gerettet hätte. Verdammung, Vergessen oder Glorifizierung waren nur eine Frage der Zeit, des Ortes und der Umstände. Schon recht! Trotzdem war es eine Rechtfertigung auf Krücken, denn eigentlich hatte Jakob ihn gar nicht umbringen wollen. Es war ein Unfall, eine Ungeschicklichkeit, ein Versehen, Mörder wider Willen – das war das schlimmste.

Damals wollte Jakob sich umbringen. Die Tat war wie eine Wunde, die sich ätzend durch sein Gehirn brannte. Schluß machen damit, den Schmerz zum Stillstand bringen! Aber war nicht gerade der Schmerz gerechtfertigt? Eine Strafe, die man aufrecht stehend annehmen mußte? Bejahen mußte? Feigheit, sich jetzt davonzustehlen, bevor er überhaupt begonnen hatte, sich klarzumachen, was passiert war. Deshalb tat Jakob nichts, saß in seinem Campingbus und wartete wochenlang auf die, die ihn fragen würden: Sind Sie Jakob Amon? Oder die gar nicht fragen, sondern einfach schießen würden. Er war zu allem bereit, wartete schicksalsergeben. Aber er hielt eine Wange hin, auf die niemand schlagen wollte. Sie brannte trotzdem. Und jetzt? Er hoffte, daß sich die Frage nach der Zeit, dem Ort und den Umständen einmal anders stellen könnte als damals. Oft ging der Traum so zu Ende, daß er, in hüfthohem Wasser watend, versuchen mußte, zu entkommen. Bis ihn Schüsse in den Rücken trafen.

Jakob war noch ein halbes Jahr in Portugal geblieben. Immer am selben Ort. Wirklich gefährlich war es, die Grenze zu überschreiten. Identitätsfeststellung, Überprüfung der Fahndungsliste. Also abducken und stillhalten! Dabei wartete er aber auf den Moment seiner Festnahme wie einer, der weiß, daß die Kugel, die ihn treffen wird, bereits abgefeuert ist. Statt sein Leben auszukosten, quälte er sich mit Phantomschmerzen. Bei allem, was er tat, begleitete ihn die Vorstellung, daß es vielleicht das letzte Mal sein würde. Das letzte Essen in Freiheit, der letzte Sonnenuntergang, die letzte Zigarette, das letzte Glas, der letzte Morgen, der letzte freundliche Blick: eine Serie von Beerdigungen. Er schob die Zeit wie eine vertagte Hinrichtung vor sich her. Alles unnütz!

Aber nichts passierte! Ständig durchforstete Jakob die Zeitung. Der Fall Karmann verschwand mehr und mehr aus den Schlagzeilen. Die Mußmaßungen wurden immer vager: Die rechte Szene wurde verdächtigt, Eifersucht wurde als Motiv unterstellt und einer möglichen Homosexualität Karmanns nachgegangen, Verbindungen zu mafiosen Organisationen wurden aufgezeigt. Dann hörte auch das auf. Was war da los? Jakob grübelte. Ohne Ergebnis.

Irgendwann war dieser Zustand nicht mehr auszuhalten. Etwas Besseres als die Marter dieser Ungewißheit finde ich überall, dachte Jakob. Außerdem ging das Geld aus. Er fuhr nach Norden und dann bei Porto den Douro entlang, um die Grenze nach Spanien zu überqueren. Jakob hatte nur wenige Autos vor sich. Es gelang ihm kaum anzufahren, sein Fuß auf der Kupplung zitterte so stark. Dann, vor dem Zöllner, passierte es: Jakob konnte das Pedal nicht mehr halten, das Wagen machte einen Sprung, und der Motor war abgewürgt. Ein Gefühl, als habe er in die Hosen gepißt. Egal, dachte Jakob, ist sowieso gleich vorbei. Der Polizist nahm seinen Reisepaß, verschwand in der Station. Jakob trank einen Schluck Wein aus der Flasche neben sich, ein wenig Wasser hinterher, hängte sich die Tasche mit Geld und Papieren über die Schulter. Der Zöllner kam zurück, stieg auf das Trittbrett neben dem Führerhaus, fragte, ob es etwas zu verzollen gebe, nein?, klopfte zweimal mit der flachen Hand auf die Motorhaube und wünschte gute Fahrt. Jakob fuhr los, vollführte dabei die notwendigen Handgriffe ganz unwillkürlich, bis dieser Impuls einknickte und er völlig erschöpft von der Straße auf einen Feldweg abbog. Er hielt an, ließ sich ins Gras fallen, trank den Wein aus und noch ein Flasche dazu und legte sich hinten im Wagen ins Bett.

Jakob kam ungehindert nach Deutschland zurück. Aber auch dort hörten diese Zustände nicht auf. Auslöser für solche Panikattacken gab es viele und jeden Tag neu: ein Polizeifahrzeug, jähes Telephonklingeln, der Griff eines Fremden unter das Jackett zur vermeintlichen Waffe. Der Ausnahmezustand war das normale Leben.

In seiner früheren Umgebung hielt es Jakob nicht mehr aus. Keinem seiner Freunde und Bekannten hätte er sagen können, was ihm widerfahren war. Ein falsches Wort, eine Andeutung – begierig wurden solche Geschichten aufgesogen und weitergegeben, um zu zeigen, wie nah man am Kern der Bewegung war. Auf Verschwiegenheit durfte er nicht hoffen. Dort zu bleiben hätte zudem bedeutet, sich eine Dauerkontrolle aufzuerlegen und beständig an einem Lügengespinst zu arbeiten, um auch alle unverfänglichen Fragen: Wo warst du? Was hast du gemacht?, so zu beantworten, daß er sich nicht in Gefahr brachte. Da half nur, alle Brücken abzubrechen und in einer anderen Stadt wieder von vorne zu beginnen. Jakob zog von Frankfurt nach München. In seinen früheren Beruf als Fernsehjournalist konnte er nicht mehr zurück: Einer, der sich beständig wegduckt, hat keinen Mut mehr, sich auf die Spur brisanter Themen und exponierter Personen zu setzen. Jakob jobbte in Kneipen. Für seine Freunde und Bekannten war er verschwunden. Immer noch oder schon wieder auf Reisen. Abgedriftet. Erst als sich um ihn herum alles verändert hatte und nichts mehr von damals geblieben war, begann er nochmals als schreibender Journalist. Er arbeitete stets unter dem Pseudonym *F.M. Jakobs*.

So schleppte sich Jakob bis abends durch. Nun noch ein Absacker und dann ins Bett. Montag abends war das *Tex* ein Lumpensammler. Wer an diesem Tag um diese Zeit in der Bar stand und trank, ging keiner geregelten Arbeit nach oder hatte einen Grund zu trinken. Im *Tex* ließ man sich in Ruhe. Jakob stand in Türnähe am Tresen. Neben ihm war ein jüngerer Stammgast, der mit weitaufgerissenen Augen ständig grimassierte, weil er auch im Lokal lieber die eigene Musik im Walkman hörte. Manchmal, wenn er von seiner Musik überwältigt war und mitzusingen versuchte, gab er ein Jaulen von sich wie ein junger Hund.

– Ein Irrer, sagte Mario und stieß Jakob in die Seite.

Mario, ebenfalls ein Stammgast, hatte durch die in der Mitte abgeknickte Nase die Fresse eines Boxers, fettiges, aber sorgfältig gescheiteltes, dunkles Haar. Seine bleiches Gesicht gab ihm im Halbdunkel der Kneipe etwas Verwegenes, was durch ein weißes Jackett, das er gern trug, und schwere Siegelringe an den Händen unterstrichen wurde. Draußen bei Tageslicht mutete Mario wie ein Grottenolm an, ungesund bleich, aufgedunsen, in Billiganzügen. Mario trank Bier und auf dieser Grundlage Schnaps, zu dem er andere gern einlud. Er zeigte mit seinem dick beringten Zeigefinger auf Jakob, deutete ein Schnapsglas an, machte die Geste des Abkippens. Dann klopfte Mario auf die Theke und bestellte: Zweimal! Der Wirt stellte sofort zwei Schnaps auf die Theke. Mario klemmte sie zwischen die Finger einer Hand und stellte einen vor Jakob hin.

Mario kippte mit einem kurzen Kopfwurf den Schnaps runter. Er habe gestern diesem Jugo, der frühmorgens immer mit dem Vorschlaghammer rumgedengelt habe, die Hammelbeine langgezogen. Mario wollte Unterhaltung. Jakob hörte einfach nicht hin und hoffte, die Schilderung würde bald vorüber sein. War sie aber nicht. Es war wie ein bohrendes Dauergeräusch, nichts half. Jakob dachte, er würde, wenn das kein Ende fände, bald bewußtlos umfallen. In seinem Ohr war nur ein gleichförmiges Genuschel und Gebrummel. Geräusche ohne Sinn. Eine Qual. Endlich kam der Zeitungsverkäufer. Jakob hätte alles gekauft, nur um Mario unterbrechen zu können. Er nahm die Zeitung, warf einen Blick auf die Schlagzeile und wurde bleich.

– Was ist? fragte Mario. Ist dir schlecht?

Jakob nickte, legte entschuldigend die Hand auf Marios Arm und ging nach draußen. Taumelte. Eine gute Nachricht, aber es war, als würde die Tür zu einem lang verschlossenen Bereich aufgetreten. Dabei ging ein Brausen durch Jakobs Kopf. Alles kam so unerwartet, so unverhofft, wie die Begnadigung eines Verurteilten durch den reitenden Boten. Jakob spürte jetzt alles Blut in sich versacken, ging schwankend zum Gehsteigrand, stützte sich auf eines der Autos, beugte sich nach vorne und kotzte.

Zu Hause versuchte Jakob, sich mit Kamillentee wieder auf die

Beine zu bringen. Er schaltete Radio und Fernsehen zugleich ein, um alle Informationen mitzubekommen. Mehr als in der Zeitung zu lesen war, gab es jedoch auch hier nicht. Jakob schnitt den Bericht aus der Zeitung aus und klebte ihn in sein Tagebuch:

Am 20. April 1998 erhielt die Nachrichtenagentur Reuters in Köln eine Auflösungserklärung der Rote Armee Fraktion (RAF). Die achtseitige Erklärung ist nach Inhalt und Aufmachung authentisch, wie auch die kriminaltechnische Prüfung des BKA ergeben hat. Die Erklärung deklariert die endgültige Auflösung der RAF mit den Worten: »Heute beenden wir dieses Projekt. Die Stadtguerilla in Form der RAF ist nun Geschichte.« Weitere Erklärungen und Aktionen unter der Bezeichnung RAF schließen die unbekannten Verfasser der Auflösungserklärung mit den Worten aus: »Ab jetzt sind wir – wie alle anderen aus diesem Zusammenhang – ehemalige Militante der RAF.« An anderer Stelle der Erklärung signalisieren sie, daß sie an der künftigen Entwicklung teilnehmen wollen. Sie plädieren für den Aufbau eines »Befreiungsprojekts der Zukunft«. Die Auflösung der RAF wird damit begründet, daß es der RAF aufgrund taktischer und strategischer Fehler nicht gelungen sei, ihr Ziel, die revolutionäre Umwälzung der Gesellschaft, zu erreichen. Das Ziel wird aber beibehalten: »Das Ende dieses Projekts zeigt, daß wir auf diesem Weg nicht durchkommen konnten. Aber es spricht nicht gegen die Notwendigkeit und Legitimation der Revolte.«

8. Ratten II

Von November bis April war Dampfbadsaison. Römisch-irisch. Meist donnerstags stand Horst Brill vor der Kasse, sagte: Wie immer! und schob vierzig Mark unten durch den Fensterschlitz. Wie immer, das war einmal Dampfbad, Kabine, ein großes Handtuch und zwei Marken fürs Solarium. Die Auflösungserklärung der RAF war in der *Süddeutschen Zeitung* abgedruckt, die Brill sich unter den Arm geklemmt hatte. Als er dann die beiden Schwingtüren zum Bad aufstieß, erhob sich Friedl, der Bademeister, rasch von seinem Hocker und salutierte: Herr Kommissar, habe die Ehre!

Brill musterte ihn. Alles weiß: weißes Hemd, weiße kurze Hosen, weiße Socken und Schuhe, käsigweiß sogar die Haut an seinen Beinen und Oberarmen. Nicht einmal mit Tropenhelm und weniger Bauch würde er als schlampiger Fremdenlegionär durchgehen. Ein erigierter Engerling! Friedl stand stocksteif. Mit dem Kommissar, das war jedesmal ein Riesenspaß. Brill ließ ihn noch eine Weile schmoren und sprach erst dann das Zauberwort: Rühren, Friedl! Jetzt platzte der Bademeister los, haute sich auf die Schenkel und schaute herum, ob irgend jemand sonst die Sache mit angesehen hatte, dann hätte es gesprächsweise etwas nachzubereiten gegeben, aber leider war niemand in der Nähe. Also hob Friedl seine Brille und tupfte mit einem Taschentuch darunter, um seine Lachtränen zu trocknen. Dann riß er den auf dem Tresen liegenden Bon ein, griff hinter sich, holte ein großes Handtuch heraus, nahm einen Kabinenschlüssel vom Haken und gab beides Brill in die Hand. Brill ging rasch die Treppe hoch zur Umkleide.

– Herr Kommissar!

Brill drehte sich kurz um, er wußte, was jetzt noch kam.

– Daß mir im Schwitzbad ja das Fenster zu bleibt, gell!

So, war es das nun? dachte Brill und stieg den Rest der Treppe hoch. Friedl stützte sich unten mit beiden Händen am Tresen auf, sein Gelächter begleitete Brill bis in die Kabine.

Drinnen zog Brill sich rasch aus. Kabine, das mußte sein! Donnerstags war gemischt, Damen und Herren. Sich unten im Badebereich nackt oder mit um den Leib gewundenem Handtuch zu begegnen, war normal, der Übergang von der Zivilkleidung zur Nacktheit war es nicht. Brill fand es immer noch merkwürdig, wenn fremde Frauen die Umkleide betraten und sich einfach auszogen. Man mustert sich und tauscht Blicke wie draußen in der Welt, dann fängt sie plötzlich an, die Reißverschlüsse ihrer Stiefel zu öffnen und zieht sich den Pullover über den Kopf. Donnerwetter, was für eine Brust! Der Rock gleitet zu Boden, Tanga, schwarz, Spitzenimitat. Aber hallo! Jetzt hakt sie den Büstenhalter auf, du meine Güte! – die Brüste sinken eine ganze Etage tiefer, und man sieht, was diese modernen BHs heute leisten. Der ganze Körper verliert an Kontur und Festigkeit. Meistens! An dieser Verwandlung jedenfalls wollte Brill bei sich niemand teilhaben lassen.

Er schlang das Handtuch wie eine Toga um sich, und mit der aufgedruckten roten Zierborte sah er nun aus wie ein römischer Senator. Er betrachtete sich im Spiegel. Dann erst schloß Brill die Kabinentür hinter sich und ging in den Schwitzraum.

Es rumorte und arbeitete in Brill. Der Zeitungsartikel über Karmann hatten an alten Wunden gerührt. Er knurrte. Ein Wehlaut aus tiefstem Herzen. Ein Schwitzbadgenosse neben ihm musterte ihn. Wie gerne hätte Brill jetzt Ratte! in den Raum gerufen! Aber wo geschwitzt wird, redet man nicht. Man verhält sich so wie in der Kirche, allenfalls gedämpfte Unterhaltung ist statthaft. Deswegen dachte er sich eine Ratte. Sie war so groß wie ein Dachs. Ihr kahler Schwanz war so lang wie der einer Echse. Wenn sie lief, gab es Schleifgeräusche am Boden.

Brill versuchte sich zu entspannen. Ein Sufi sitzt in Glasscherben, auf Nägeln oder im Feuer. Drückt jeden Schmerz durch Willensanstrengung weg! Brill fixierte die Ornamente der Bodenfliesen.

Nach dem zweiten Schwitzdurchgang legte Brill sich stets ins Solarium. Dort unter den UV-Lampen mußte man fünfzehn Minuten lang die Augen geschlossen halten. Er hing den düsteren Erinnerungen nach, die in ihm aufgestiegen waren. Knüppeldick war es damals nach seiner Vertreibung aus Bonn gekommen, ein Unglück folgte auf das andere, als habe er sich mit einem Virus angesteckt, das er in der Folge nie wieder loswurde. Noch vierzehn Jahre später kreiste es wie ein Gift in seiner Blutbahn und entfaltete seine Wirkung. Brill fühlte sich schlaff, gelähmt, wurde kurzatmig und spürte im Nacken einen Nervenfaden vibrieren, der seinen Kopf zittern machte. Es schien ihm, als habe er in der Folge alles nur getan, um die damalige Demütigung wegzudrücken, auszuschwitzen, auszuscheißen oder wenigstens irgendwie zu überdecken. Vergeblich! Nach dem Essen mit Wehowsky hatte er noch am selben Tag begonnen, sich von seinem Rechner aus Informationen über den Mord an Karmann zusammenzusuchen. Zuerst tat er dies nebenbei, wie einer, der interessehalber eben mal gucken will. Dann, schon nach kurzer Zeit, stellte er fest, daß es ihn gepackt hatte. Eine Lösung des Falls würde vieles ungeschehen machen. Das Interesse richtete sich wieder auf den Karmann-Fall, auch die *SZ* hatte ihn in der einer Chronik der Ereignisse ausführlich diskutiert. Genau genommen bot sich ihm eine Chance! Deswegen memorierte Brill im Solarium, was er sich zusammengesucht hatte, um vielleicht einen Ansatzpunkt zu finden, den die Kollegen übersehen hatten.

Verdammt, warum war das heute so heiß? Brill hatte den Eindruck, daß sein Leib zu glühen begann. Nessusgift! Manche bekamen bei Psychostreß sofort Ausschläge. Ging das jetzt auch bei ihm los?

Klack! Die UV-Lampen gingen aus, und Brill lag geblendet im Dunkeln. Der Ventilator arbeitete geräuschvoll und kühlte seine brennende Haut. Endlich stand er auf, kniff mehrmals die Augen zusammen, um endlich das Schild zu lesen, das hinter der Sprühflasche mit Desinfektionsmittel aufgestellt war. Scheiße, das hatte er übersehen! Der *Sunjet Turbobräuner* war überholt worden und hatte komplett neue UV-Strahler bekommen. *Wir empfehlen daher unseren werten Kunden, die Verweilzeit im Solarium deutlich zu reduzieren.* Brill schaute an sich hinunter. Schon jetzt hatte er die Farbe einer Brühpolnischen, am Hinterteil sogar Striemen wie vom Grillrost. Von wegen Gift, das waren Verbrennungen! Brill legte sich ins Kaltwasserbecken, um sich abzukühlen.

Kurze Zeit später saß er im Café, das sich direkt neben dem Bad befand. Auf das Anstandswasser verzichtete er heute und bestellte gleich Weißbier, das in einer Flasche mit Bügelverschluß serviert wurde. Man ließ ihn schnalzend aufspringen und goß selbst ein. Heute war es nicht nur der Mangel an Flüssigkeit, auch einiges andere war auszugleichen. Als er bezahlte, hatte er sechs Striche auf seinem Bierdeckel. Auf Alter, los geht's! Vor allem in der kalten Jahreszeit hatte er sich angewöhnt, noch mal die Toilette zu besuchen. Sonst stand man draußen und hatte gleich den nächsten Baum zu suchen. Brill, der massige Einsneunzigmann, wuchtete sich hoch.

Draußen stolperte er los, ging zu Fuß, um nüchterner zu werden. Die Nacht war noch kühl, aber es lag schon Frühling in der Luft. Die Straßen und Gehsteige waren leer. Brill bog in die Isaranlage ab. Die Wege waren feucht und glitschig, nach dem Abtauen des Schnees war das alte Herbstlaub wieder zum Vorschein gekommen. Neben ihm strudelte und brauste die Isar, die durch das Schmelzwasser zu einem mächtigen Strom angeschwollen war. Brill hatte ein scharfes Tempo angeschlagen. Das anfängliche Frösteln verflog, er spürte das Blut pulsieren, und es war, als würde damit der Stau von schlechten Gedanken und verdorbenen Gefühlen abgetragen. Die Natur hat für alles ein Mittel, dachte Brill, der Mensch ist eben doch ein Instinktvieh. Er stieg das Hochufer wieder hinauf und stand geblendet vor dem Fenster einer hell erleuchteten Wohnung, in der eine junge Frau mit schwarzem Pagenkopf, nur mit einem Hemdchen bekleidet, ihr Bett richtete. Brill verspürte den Drang, sich auf das Fenstersims zu schwingen, um ihr nahe zu sein. Er wollte ihr ja gar nicht an die Wäsche, er hatte nur den Drang, sich an etwas Hellem und Unschuldigem zu wärmen.

– Ratte! wies Brill sich zurecht, schlug den Kragen seiner Lederjacke hoch und winkte an der Mauerkircherstraße ein Taxi heran.

– Fieber oder? fragte der Taxifahrer.

Brills Gesicht war in der Tat knallrot.

Morgen, so brachte er seine Überlegungen zum Abschluß, würde er Bärloch anrufen. Vielleicht hatte der Alte eine Ahnung, was im Fall Karmann schiefgelaufen war.

9. Am Obersalzberg III

Für Bärloch war es so gewesen, als ob nach tiefster, scheinbar nie enden wollender Nacht strahlende Morgenröte hervorträte. Unvergeßlich, dieser einundzwanzigste April: Bärloch war in der Küche auf einem Barhocker gesessen, den Hilde angeschafft hatte, und hatte sich, in eine Morgenstarre verfallen, an einer Tasse extrastarkem Kaffees festgehalten. Pulverkaffee, kein Bohnenkaffee, den zuzubereiten eine Kochkunst erforderte, über die er nicht verfügte. Oben im Regal stand der Fernsehapparat. Er starrte hinauf zu den Frühnachrichten. Die *Welt am Morgen*. Welt, das war dieses beständige Außen, das sich unerreichbar um ihn wölbte, als säße er im Inneren einer Kugel eingesperrt. Doch dann kam eine Nachricht, die ihn schwindlig werden ließ. Er ließ den Hocker nach hinten wegkippen und rannte ins Arbeitszimmer an seinen Computer, um im Internet zu recherchieren. Dort fand er die Erklärung im Wortlaut, die ihn so fassungslos gemacht hatte: *Heute beenden wir dieses Projekt. Die Stadtguerilla in Form der RAF ist nun Geschichte. Wir, das sind alle, die bis zuletzt in der RAF organisiert gewesen sind. Wir tragen diesen Schritt gemeinsam. Ab jetzt sind wir – wie alle anderen aus diesem Zusammenhang – ehemalige Militante der RAF.*

Dreißig Jahre Kampf waren mit einem Schlag vorbei. Es gab keine Front mehr. Und jetzt? Versöhnung, Friede? Als habe man ein Faß angestochen, quoll es aus Bärloch heraus. Fragen, Erinnerungen, Zweifel, vor allem aber Mutmaßungen. Aber mit wem konnte man sprechen? Bärloch telephonierte sich hektisch durch die Behörde auf der Suche nach den Alten. Und schrieb Mails. Aber seine Bekannten waren längst nicht mehr da, waren schon außer Dienst. Fritz Knöbel, sein früherer Chauffeur, machte Urlaub am Bodensee. Er bekam wie immer nichts mit. Wiedeler, Staatssekretär a. D., lebte seit zwei Jahren auf Mallorca. Mit Kipfel, dem Technikkumpanen, konnte man so etwas nicht besprechen. Gleitkow, ehemals Innenminister und Bärlochs Förderer, rief nicht zurück. Er hatte im Ruhestand begonnen, seinen Werdegang philosophisch zu veredeln, und hatte kein Interesse mehr an dem alten Terroristenjäger. Dieses Kapitel und die damit verbundenen Entscheidungen fügten sich am wenigsten in das Bild der weltoffenen Liberalität, das Gleitkow von sich zeichnete. Aber bald wurde gemeldet, daß es keine Zweifel mehr gab: Die kriminaltechnische Prüfung des BKA habe die Echtheit des Schreibens bestätigt.

Bärloch wußte gar nicht, wohin mit seinem Aktionsdrang. Er besorgte sich weitere Zeitungen, ging dann doch wieder ins Internet, brach ab und versuchte jemanden telephonisch zu erreichen. Wer begriff überhaupt, was diese Nachricht bedeutete? Abends saß Bärloch, erschöpft vom vielen Hin und Her, eingepackt in eine Decke, auf der Terrasse. Unten, weit hinten, schlängelte sich die Autobahn durchs Tal. Ein Summen, ein Rauschen von fern. Eines Tages, so hatte Bärloch gedacht, würde ein Wagen die Ausfahrt Greding nehmen. Und es wäre, als tauchten an dem Wüstenhorizont, den er immer wieder träumte, kleine, bewegliche Punkte auf. Im Tag-Nacht-Zeitraffer kamen sie näher und wurden zu Schemen, die von aufsteigenden Hitzewellen immer wieder in flirrende Schichten zerlegt und neu zusammengesetzt wurden. Zwei, eine Frau, das Haar gefärbt oder Perücke, vielleicht Fensterglasbrille, ein unauffälliges Kostüm oder auch Jeans, dazu ein Mann mit Kurzhaarschnitt, glattrasiert oder mit Bart in gepflegter Kleidung, eher grau, oder doch sportlich, aber Durchschnittsmenschen, die im Hotel unten abstiegen und als Beruf Journalist angaben. Ein bißchen wandern, ein bißchen recherchieren: Wohnt nicht auch Bärloch hier irgendwo? Mit Skizzen und Notizen würden sie Greding wieder verlassen. Das würde nicht zu verhindern sein, was danach kommen würde, hatte Bärloch vielfach durchdacht: architektonisch, sicherheitstechnisch. Videokameras, Bewegungsmelder, Alarm- und Selbstschußanlagen. Sehen, ohne gesehen zu werden. Der Bungalow war im Atriumstil gebaut. Der Vulkansteingrill stand im Innenhof. Die Außenterrasse hatte Bärloch früher nie benutzt.

Das Telephon klingelte.

– Horst Brill. Erinnern Sie sich noch an mich, Chef?

Bärloch zögerte, dann dämmerte es ihm: Brill, dieser schneidige, technisch versierte, junge Polizist. Zwei Monate lang sein Assistent. Er hatte ihm eine große Laufbahn prophezeit.

Am nächsten Tag stand Brill im Wohnzimmer. Massiger, aber immer noch muskulös und wie damals schon blaugrau gekleidet. Das zurückgestrichene Haar war immer noch voll, aber das Schwarz bereits graumeliert. Er trug eine blaugetönte Brille, sein Gesicht war gebräunt.

– Aus der Terrorismusaufklärung bin ich draußen. Genauso lange wie Sie, Chef, sagte Brill. Sie haben mich versetzt. Zurück nach München. LKA zuerst, dann wieder Ettstraße, Dezernat 11. Da, wo ich hergekommen bin. Sie haben mich abgestraft, weil ich Ihr Assistent gewesen bin. Hauen den Sack und meinen den Esel. Letztlich habe ich die Arschkarte gezogen. Nur daß ich heute Hauptkommissar bin.

Alle anderen Gründe verschwieg Brill. Aber Bärloch wußte Bescheid, er hatte sich vor Brills Eintreffen erkundigt. Brill hatte Dienstanweisungen seines Vorgesetzten ignoriert. Seine Rückversetzung vom LKA in die Ettstraße war aus disziplinarischen Gründen erfolgt.

Bärloch zuckte die Achseln.

– Tut mir leid, Brill. Was soll ich machen? Hat mich doch auch erwischt. Und heute kann ich Ihnen nicht mehr helfen. Habe keinen Einfluß mehr. Aus. Altes Eisen, kein Hahn kräht mehr nach mir.

Brill wirkte angespannt, ließ seine Kiefermuskeln spielen und knetete die Hände. Bärloch wartete.

– Chef, die wesentliche Arbeit haben Sie doch damals gemacht. Am technischen Repertoire, an unserer Fahndungssystematik hat sich bis heute nichts geändert: alles noch original Bärloch. Und ihre Nachfolger waren doch nur noch Karrieristen. Die hätten auch den Postminister gemacht, wenn man sie gelassen hätte.

– Schon. Aber glauben Sie, daß mir deshalb irgend jemand einen Kranz windet? So ist die Politik!

Bärloch verstand. Brill hatte gehofft, man würde den Alten jetzt als Helden wieder ausgraben und ihm ein Comeback spendieren. Und da wollte er sich prophylaktisch dranhängen.

Brill hielt es nicht mehr im Sessel, er stand auf und machte einen Schritt durch die Glasschiebetüre hinaus auf die Terrasse. Klopfte mit dem Knöchel gegen die Scheibe. Es war Panzerglas, schußsicher. Die Alarmanlage begann zu pfeifen. Bärloch stand auf und stellte sie ab.

– Trotzdem, Chef. Die RAF hat aufgegeben, aber ein Fall ist doch immer noch offen. Haben Sie es auch gelesen? Neulich in der *AZ*, heute in der *SZ*. Niemand weiß, wer Karmann damals umgelegt hat.

– Pah, machte Bärloch, so heftig, daß sein Bauch in Bewegung geriet. Wären die Herren nicht so unfähig, hätten sie beherzigt, was ich ihnen mitgegeben habe, wäre der Fall längst gelöst.

PIOS, dachte Brill sofort. Wenn Bärloch so predigte, dann ging es immer um PIOS. Diesen Klageton hatte Brill noch gut im Ohr.

– Wieso, wissen Sie etwas über den Fall, Chef?

Bärloch senkte den Blick und starrte auf seine Oberschenkel.

– Ich nicht, sagte er.

– Wie meinen Sie das, Chef?

– Brill, hören Sie auf. Wenn Sie was wissen wollen, fragen Sie Bögel oder Tillmann, die haben ermittelt, nicht ich.

Okay, okay, dachte Brill, okay! Besser als nichts. Ein Hinweis, eine kleine Chance. Werde schon was rauskriegen.

– Was ist, Chef? Wollen wir noch einen Kaffee trinken gehen?

Bärloch nickte. Das gehörte zu seinem neuen Programm: So oft wie möglich aus dem Haus. Und Programme auszuarbeiten war seine Stärke. Punkt für Punkt. Das Ganze war nacheinander auszuführen. In Stapelverarbeitung.

– Nehmen wir meinen Wagen?

Bärloch schüttelte den Kopf. Punkt zwei des Programms: Nur zu Fuß. Eine halbe Stunde später saßen sie im Café. Bärloch trank schwarzen Kaffee und aß ein Bamberger Hörnchen. Punkt drei: Keine Milch, keinen Zucker, keine Sahnekuchen, hin und wieder trockenes Gebäck. Hinterher gingen sie wieder zu Fuß hoch. Abends, als Brill wieder weg war, kam der schwierigste Punkt: auf der Terrasse sitzen bei ausgeschalteter Alarmanlage. Etwas rieselte ihm den Rücken hinunter. Es war wie Höhenangst.

Einige Wochen nach seinem Arztbesuch hatte Bärloch festgestellt, daß es ihm besser ging. Morgens beim Rasieren fand er, daß er wieder ein Gesicht statt gequollener Wülste hatte. Er war durch das Gehen ausdauernder geworden, straffer, weniger kurzatmig. Und er grüßte und wurde gegrüßt. Vor allem lernte er Vera kennen. Nachmittags saß er, wie immer, im Café. Eine weißhaarige, gepflegte Frau in Wanderjacke betrat den Raum. Bedauernd ließ sie ihren Blick über die besetzten Tische wandern. Da bemerkte Bärloch sie. Er stand auf, machte eine leichte Verbeugung zu ihr hin und wies dann auf den gegenüberstehenden freien Stuhl an seinem Tisch. Vera Möller lächelte und nahm an.

Bärloch musterte sie. Sie hatte halblanges, vollständig weißes Haar, mochte aber erst annähernd sechzig sein. Rote Bluse, Halstuch mit kleiner Perlenkette obendrauf, volle Brust. Mollig, dachte Bärloch und witterte weiches, warmes Fleisch, an das man sich schmiegen konnte. Sie hatte noch kaum etwas gesagt, aber Bärloch meinte, den rheinischen Singsang herausgehört zu haben. Er setzte gleich alles auf eine Karte: Er sei ein Rheinländer im Exil, und sie?

Tatsächlich, Vera Möller kam aus Köln. Ursprünglich St. Augustin, aber das sei auf die Entfernung gesehen Erbsenzählerei. Schon hatte Bärloch einen Pluspunkt gemacht. Ihre Freundin war krank geworden, sie war aber dennoch zum Wandern ins Altmühltal gefahren. Glückliche Fügung! Als sie die Kaffeetasse zum Mund führte, bemerkte Bärloch die zwei Eheringe übereinander am Ringfinger. Witwe, rheinisch-katholisch!

Bärloch wurde lebhaft. Wo sie denn in Köln lebe?

– Deutz, bei Heribert und Johannes. In der Tempelstraße.

Kenne er gut. Er sei immer zu Fuß über den Rhein nach Deutz, bevor er nach Bonn gekommen sei, sagte Bärloch.

– Ach, Sie haben in Bonn gelebt?

Bärloch spürte, daß er seinen Landsmannbonus ausbauen mußte. Denn bei aller Freude, jemand Vertrauten getroffen zu haben, blieb Vera Möller reserviert. Ständig zupfte sie an ihrem Halstuch und ihrer Jacke. Bärloch fürchtete, daß sie seine begehrlichen Blicke wahrgenommen hatte. Er begann seine Seriosität in den Vordergrund zu stellen. Übertreibung und Auftrumpfen würden schädlich sein, schätzte er, daher tupfte er dezent ein Bonner Gemälde hin. Es genügte, daß sie von seiner Vergangenheit als hoher Staatsbeamter wußte. Gleich wechselte er wieder das Thema und schilderte in Anekdoten seine Schwierigkeiten als rheinischer Mensch in fränkischer Umgebung. Vera Möller taute auf, ihre Unterhaltung wurde beschwingt. Bärloch streute Gedanken aus seiner philosophischen Lektüre ein, bevor er Cognäcchen bestellte.

– Wohlsein!

Schließlich wagte er sich an riskante Vergleiche. Der alte Goethe habe mit seinen Wahlverwandschaften doch immer noch recht. Mensch zu Mensch – das sei reine Chemie. Da strudle so ein Genteil wie ein halber Reißverschluß durchs Leben, bis es endlich das passende Gegenüber finde. Und dann, wie Schlüssel in Schloß, füge sich alles.

Vera lachte. In der beidseitigen Aufgeräumtheit gingen jetzt auch solche Sachen als geistvoll durch. Nach fast drei Stunden angeregter Unterhaltung verabschiedeten sie sich. Wie ein kostbares Beutestück trug Bärloch ihre Telephonnummer in der Tasche nach Hause. Sie würden sich noch einmal zu einem Treffen verabreden. Versprochen!

Bärloch stand hochgestimmt in seinem Haus. Rieb sich die

Hände, klatschte, wußte gar nicht, wohin mit seinem Überschwang. Schlug vor Übermut mit dem Fuß nach hinten aus, um die Tür zuzuwerfen. In der Mitte des Zimmers machte er eine Kniebeuge und vollführte mit dem rechten Arm – ritsch, ratsch! – Sägebewegungen, wie ein Fußballer nach geglücktem Torschuß. Vorne am Schlagbaum hatte er Bescheid gegeben, er bekomme demnächst Besuch. Seine auf Korrektheit bedachten Andeutungen und Erklärungen waren etwas wirr gewesen. Man hatte sie dort in die Parole umgesetzt: Jetzt kommt die Tante.

Einige Tage später stand Vera vor seiner Tür. Da er offensichtlich mit seinem Gewicht kämpfte, hatte sie ihm einen Blumenstrauß mitgebracht. Bärloch half ihr aus der Jacke. Sie roch wirklich so gut, wie er es sich vorgestellt hatte. Erst als sie sich umdrehte, merkte Bärloch, daß sie vollkommen verstört war.

– Sag mal: Bist du beim Militär? Oder Politiker?

Bei ihrer Frage fiel es Bärloch siedendheiß ein, daß er die Alarmanlagen noch nicht abgeschaltet hatte.

– Bitte bleib einen Moment stehen.

Bärloch faßte sie an den Schultern, als wolle er sie hinstellen. Dann lief er in sein Arbeitszimmer.

– Genau so? fragte Vera.

Sie schaute nach oben, wo sie eine Überwachungskamera vermutete, mit der Kontakt aufzunehmen war. Sie wartete auf weitere Hinweise, da aber nichts passierte und sie sich nicht von Stelle wagte, stand sie mit übereinandergelegten Händen wie in der Kirche da.

Bärloch kam zurück, er hatte alles ausgeschaltet. Alles, selbst die Bewegungsmelder. So ungeschützt war sein Haus noch nie gewesen.

– Essen wir erst mal etwas, dann erkläre ich dir, was hier los ist.

Er hatte aus der Kantine eine kalte Platte kommen lassen und servierte Rheinwein. Schon vorher hatte er sich vorgenommen, ganz auf Wahrhaftigkeit zu setzen. Jahre hatte er in einer Art Keller verbracht. Ohne Licht und Luft. Jetzt galt es, und Bärloch redete zwei Stunden. Es war ihm, als habe er noch nie jemandem sein Herz so vollständig ausgeschüttet. Vera sagte kaum etwas, aber ihr lebhaftes, anteilnehmendes Mienenspiel, in dem sich seine Schilderungen zu spiegeln schienen, tat ihm wohl. Die Vorstellung, vor einer Frau in die Knie zu sinken, hatte Bärloch immer lächerlich gefunden. Als er aber mit seinen Erzählungen zu Ende gekommen war, überfiel es ihn im Überschwang seiner Gefühle gerade der Lächerlichkeit wegen wie ein Zwang.

– Vera, nehmen Sie mich, bat er. Und, da Vera die Stirn runzelte: Ich würde das alles hier verkaufen!

– Das hier? fragte Vera mühsam beherrscht. Das ist doch nicht dein Ernst?

Dann brach sie in ein unbändiges Lachen aus. Warf den Kopf nach hinten, ließ sich in den Stuhl zurückfallen und lachte aus vollem Hals.

Bärloch lief rot an, schämte sich. Aber sie hatte ja recht: Wer sollte denn das kaufen wollen? Man konnte nur den Schlüssel abziehen und von außen eine Brandfackel hineinwerfen.

– Sei nicht albern, und laß uns jetzt nicht über solche Sachen reden, sagte Vera mit wiedergewonnener Fassung. Wir kennen uns ja kaum. Und dann, als sie Bärlochs unglückliche Miene bemerkte, fügte sie an: Wir haben doch Zeit.

Trotzdem fühlte Bärloch sich glücklich, nachdem Vera gegangen war. Die Chance zu einem neuen Leben war ihm geboten. Jetzt nur nichts falsch machen! Bärloch setzte sich mit Papieren und Unterlagen hin und rechnete: Er würde, selbst wenn er keinen Pfennig für das Haus bekam, genug für ein unabhängiges Leben haben. Ich muß ihr ein Angebot machen, das sie nicht ablehnen kann, sagte er zu sich und blähte die Backen zum *Paten*gesicht. Und ich gehe zurück nach Köln!

10. Hasskappe

Rackatack, rackatack, rackatack! Helgas Trolley schepperte über das Pflaster und ging dann auf der fein geriffelten, schwarzen Gummimatte, mit der die keilförmige Auffahrt in die Bahnhofshalle hinein belegt war, in ein aggressives Summen über. Das Summen einer ungehaltenen Riesenhornisse.

– Häßlich, so gräßlich häßlich, ich bin der Haß! begleitete Helga zischelnd das Geräusch, das jetzt so ganz nach ihrem Geschmack war. Noch lieber wäre ihr ein Trolley in der Ausstattung eines persischen Sichelwagens gewesen. Links und rechts würden dann Männer entseelt zu Boden sinken.

Ein ICE wartete außerplanmäßig am Bahnsteig mit einer halben Stunde Verspätung. Glück gehabt, wenigstens in dieser Hinsicht! Helga zerrte den Trolley in den Wagen hoch, steuerte einen Sitz an – Großraumabteil, Einzelplatz, Raucher – und ließ sich hineinfallen. Gott sei Dank hatte sie erster Klasse gebucht. Es war Freitagnachmittag, und der Zug war voll von Ausflüglern, die hordenweise auf Platzsuche durch die Abteile zogen. Erst mal eine Zigarette! Gierig sog sie den Rauch ein. Wahnsinn, der ganze Tag eine Zumutung!

Heiner Doerenbach vom Hessischen Rundfunk hatte sie vor ein paar Wochen angerufen. Es gebe ein interessantes Projekt, das er dem Bayerischen und Westdeutschen Rundfunk zur Koproduktion anbiete. Ein französischer Produzent habe bereits Interesse bekundet, mit den Italienern sei man im Gespräch.

– Was für ein Stoff? fragte Helga.

– Die Geschichte einer unmöglichen Liebe, erwiderte Doerenbach. O nein, nicht schon wieder! dachte Helga. *Lodernde Herzen, flam-*

mende Leidenschaft, brennende Gefühle – ist das nicht alles schon abgefackelt? Kann man nicht einfach mal zur Abwechslung einen Film über einen Arbeiter machen, der seinen Job verliert?

– Ein Lolita-Stoff, fuhr Doerenbach fort. So geschmackvoll wie bei Nabokov. Ein älterer Trickdieb auf der Flucht findet bei einer siebzehnjährigen Schülerin Unterschlupf. Daraus entwickelt sich Liebe. Ein heißes Eisen wird da angepackt.

Es war wie immer: Im Vordergrund stand die Möglichkeit einer internationalen Koproduktion. Die Darsteller waren bereits angefragt: *Gérard Départdieu* und *Cosma Shiva Hagen*. Der Stoff selbst war in alle Richtungen hin knetbar. Das hing von den Ansprüchen der Beteiligten ab. Helgas Chef, der Leiter der Hauptabteilung, fand die Sache vielversprechend. Also stimmte Helga zu, sich mit den interessierten Parteien in Frankfurt zu treffen. Sternförmig, in der Mitte der Republik. Auf der Zugfahrt dorthin las sie noch mal das Exposé von Dirk Boge. Es blieb auch beim Wiederlesen das, was es von Anfang an gewesen war: ein Nichts!

Beim HR angekommen, fehlte der entscheidende Teilnehmer: Guy Lieberman, der französische Produzent, hatte abgesagt. Man war unter sich. Schon auf dem Weg in den Besprechungsraum wurde Krisenmanagement betrieben.

– Kein Problem, meinte Doerenbach. Besetzen wir eben Götz George statt Depardieu.

Helga trabte lustlos Doerenbach, Boge und Höllriegel, dem zuständigen Redakteur vom Westdeutschen Rundfunk, hinterdrein. Boge, ein massig wirkender Enddreißiger mit glattrasiertem Bruce-Willis-Schädel im schwarzen Anzug mit Vierknopfjackett, in der Mitte gehend, gab sich aufgedreht und bemühte sich, ein Feuerwerk an Geist und Witz zu zünden. Wenn alles glattgehe, könne man nächstes Jahr rechtzeitig zum Nabokov-Jubiläum senden. Kontrastprogramm zum alten Goethe. In Amerika sei der Lolita-Stoff ja immer noch ein Riesenproblem. Dieser vollkommen überzogene Puritanismus dort drüben.

Boges Bemühungen verfingen zunächst nicht. Erst als Frau Stolze, eine vollbusige Technikerin, einen Wagen mit Filmrollen vor sich herschiebend, ihnen entgegenkam und Boge Andere Sender, andere Titten! raunte, amüsierte sich Doerenbach.

Schon jetzt war Helga klar, daß die beste Lösung gewesen wäre, die drei alleine zu lassen und, statt den Gang rechts zu nehmen, geradeaus zum Ausgang zurückzugehen.

Auch im Konferenzraum wurde es nicht besser. Boge versuchte Einwänden schon im Vorfeld den Wind aus den Segeln zu nehmen, indem er anbot, alle gewünschten Änderungen ins Buch zu übernehmen.

Was denn dann noch von seinen Ideen übrigbleibe, fragte Helga.

– Prickelnde Erotik, sagte Boge. Natürlich jugendfrei.

Wie das zu verstehen sei?

– Der entblößte Bauchnabel hat mehr Sex als die nackte Frau, trumpfte Boge auf. Nach diesem Prinzip muß der Stoff gearbeitet werden.

Doerenbach nickte. Höllriegel suchte den Flaschenöffner. Boge fühlte sich ermutigt.

– Auf der Fahrt hierher, schwärmte Boge, habe ich etwas erlebt, eine Szene, die man nur finden kann. Jeder Einfall wirkt dagegen schwach. Stellen Sie sich vor: Ich sitze im Bahnhofsrestaurant in Stuttgart. Warte auf meinen Anschlußzug. Mir gegenüber zwei Mädels so um die zwanzig. Wunderhübsch, einfach tolle Frauen. Die eine blond, macht aber einen intelligenten Eindruck – Boge grinste zu Helga hinüber –, die andere ein slawischer Typ, schwarz, mit einem ordentlichen Pudel vorne. – Boge deutete eine voluminöse Brust an. – Sie, nennen wir sie Svetlana, ißt ein Eis. So einen hammergeilen Riesenbecher mit Erdbeeren und Sahne. So einen Apparillo. – Boge zeichnete die Wölbung einer großen Obstschüssel in die Luft. – Svetlana trägt ein knallenges Top, das ihre klasse Brust richtig gut rausarbeitet. Die beiden reden miteinander, was sich Mädels eben so zu sagen haben.

– Über Jungs? fragte Helga ironisch.

– Genau, sagte Boge dankbar. Über Jungs. – Und Svetlana ißt Eis, fuhr Boge fort, redet und nimmt immer mal wieder den Löffel zu voll. Das rieselt einem ja den Rücken runter, man spürt auch so einen Kältestich im Hirn, wenn man zuviel abkriegt. Und bei ihr konnte man ganz genau durch das enge Top hindurch sehen, wie sich ihre Nippel zusammenzogen, sich anschließend dann versteiften und aufrichteten. Boge gab dem Übermaß seiner angestauten Gefühle pfeifend Ausdruck, fügte aber dann doch an: Bah, war ich platt. Mir ist ganz anders geworden.

Doerenbach nickte heftig, aber ängstlich mit Seitenblick auf Helga. Höllriegel schabte sich verlegen die Brusthaare unterm Hemd und bearbeitete anschließend die Unterarme, als habe er die Krätze. Boge spürte ihr Bedürfnis, die Geschichte cooler zu behandeln, und setzte erklärend im Stil eines Wissenschaftssprechers hinzu: Man kennt ja den Effekt bei Models, die mit nackter Brust im Wasser posieren.

Helga deutete ein Gähnen an.

– Tatsächlich. Und wo sieht man so was?

Boge zuckte die Achseln und blickte hilfesuchend zu Doerenbach. Helga entschloß sich, ihn von jetzt an zu ignorieren, und wendete sich Doerenbach zu.

– Herr Doerenbach, Sie wissen, daß unsere wichtigste Zielgruppe für den in Frage kommenden Sendeplatz Frauen sind. Glauben Sie, daß die für dergleichen sexistische Dampfphantasien empfänglich sind?

Höllriegel hatte die Brille abgenommen und putzte umsichtig nickend die Gläser.

Scheiße! Helga drückte die Zigarette aus und zerbröselte sie im Aschenbecher. Oben auf der Gepäckablage klingelte ihr Handy. Sie zerrte es heraus und schaute auf das Display. Doerenbach! Sicherlich wollte er noch einmal ganz persönlich auf sie einwirken, um sie bei der Stange zu halten. Kein Interesse, sollte er doch ihre Mailbox besprechen.

Wenn es nur Doerenbach und Konsorten gewesen wären! Meine Frau lacht wie Barny Geröllheimer, mein Sohn wie Harald Schmidt, war in der Leserbriefecke einer Fernsehzeitschrift zu lesen. Das brachte es auf den Punkt! Und sie war in diesen Verhältnissen ein Fossil geworden. Ständig mußte sie sich mäßigen, Frauen in ihrer Position durften heute nicht mehr aggressiv sein, sie waren souverän und verbindlich. Und Grundsatzdiskussionen wurden schon lange nicht mehr geführt. War Ihnen das nicht ein *innerer Reichsparteitag*? fragte einer ihrer Moderatoren. Und die Linken lachten, weil einer entlarvt worden war, die Rechten, weil man das jetzt wieder so sagen konnte, und die anderen, weil es so oder so lustig war, man also wieder freier sprechen durfte, ohne sich mit seiner Wortwahl *bis zur Vergasung* herumquälen zu müssen. Und an dieser Spaßkultur wirkte sie mit, in der alle über dasselbe lachten und trotzdem das Gefühl hatten, diesen Witz verstünden nur sie! Kritische Geister verschanzten sich, indem sie den Aberwitz Realsatire nannten, die sie besser gar nicht hinbekommen würden. Aber die kapierten ja nicht, daß andere das einfach klasse fanden und sich damit identifizierten. Helga tupfte mit dem Taschentuch an ihren feuchten Augen. Professionelle Gelassenheit stand ihr immer noch nicht zu Gebote.

Oben klingelte wieder das Handy. Doerenbach konnte froh sein, daß sie jetzt nicht mit ihm sprach. Helga ging Richtung Toilette, um sich ein bißchen für den Speisewagen zurechtzumachen. Sie sah sich im Spiegel an: Schluß, dachte sie, reiß dich am Riemen!

Helga setzte sich an einen freien Tisch und bestellte Pfefferminztee. Nur der Platz ihr gegenüber war noch frei. Wenn jetzt die falsche Person kam und sie dumm anredete, würde es Ärger geben. Dann stand aber ein hochgewachsener älterer Herr mit schlohweißem Haar vor ihr, den Helga bei sich sofort *Brummpa* nannte: mit leichtem Buckel, hängenden Schultern, Cordhose, braunkariertem Sakko, blaukariertem Hemd und einer roten Strickkrawatte, die am Hals zu einem mächtigen Knüppel geknotet war. Brummpa machte eine linkische Verbeugung und fragte, ob er Platz nehmen dürfe. Helga lächelte.

– Angenehm, sagte der Alte, Spindler mein Name.

Dann setzte er sich. Er stützte sich dabei mit beiden Händen auf dem Tisch ab und ließ sich, wenig über der Sitzfläche, in den Stuhl fallen, als könne er sich nicht mehr festhalten. Dort angekommen, musterte er gleich Helga, aber die lächelte immer noch.

– Müde Knochen, sagte Spindler, bemerkte Helgas Pfefferminztee und fragte: Sind Sie …?

Helga schüttelte den Kopf.

– Na, aber bitte! Das ist doch…

Damit war es auf den Punkt gebracht. Spindler redete nicht, sondern gestikulierte zu Ende. Er schaute gar nicht nach dem Kellner, sondern in die Karte, hob dabei die Hand, ganz Grandseigneur, was sofort durchdrang, denn schon stand er neben ihm.

– Sie wünschen?

Spindler bestellte – Sie erlauben doch? – zweimal *Macon rouge*. Dann erzählte er von seiner verstorbenen Frau, seinen Kindern und seinem früheren Berufsleben als Journalist. Helga konnte ihm anfangs gar nicht so genau folgen, er erzählte, als kennten sie sich schon immer. Außerdem fiel dieser ganze beschissene Tag erst jetzt nach und nach von ihr ab.

Kurz vor Pasing stand Spindler auf, so wie er sich hingesetzt hatte, mühsam, sich abstützend, nahm ihre Hand, verbeugte sich über ihr, sämtliche Abschiedsgesten in einer vereinend: Es war mir ein Vergnügen.

– Ganz meinerseits, erwiderte Helga.

Weg war er. Auch am Hauptbahnhof nach Eintreffen des Zugs war keine Spur mehr von ihm. Helga tackerte mit ihrem Trolley den Zug entlang. Am Ende neben der Lokomotive stand Jakob.

– Was machst du denn hier?

– Was wohl? Dich abholen.

– Ist was passiert? Mit Jo?

– Nein, alles Ordnung.

– Machst du doch sonst nie!

– Heute aber. Ich wollte mit dir essen gehen.

Helga beäugte ihn mißtrauisch. Sie wartete auf das dicke Ende. Es kam aber keines. Jakob ging neben ihr und versuchte ihren Trolley zu übernehmen. Helga gab ihm ihre Umhängetasche und entspannte sich.

– Mein Tag war oberscheiße. Könnte sein, daß ich zuviel trinke. Bist du sicher…?

– Macht nichts, erwiderte Jakob.

– Stehst du unter Drogen, bist du krank oder sonst was?

Jakob lächelte.

– Ich habe bei Virgilio einen Tisch reserviert, ist das recht?

Helga nickte.

– Gehen wir zu Fuß?

Wieder nickte Helga. Abwesend wegen gedanklicher Auslastung, es arbeitete in ihr. Ein Such- und Auswertungsvorgang lief ab: Was war mit ihm? Vergleichbares Verhaltensmuster, ähnliche Situationen – mögliches Ende? Sie erwachte.

– Stop! Ich brauche noch die Zeitungen von morgen.

Die Zeitungsverkäufer saßen im Untergeschoß. Helga lief hinunter.

Jakob stand alleine und wartete. Helgas Handy klingelte. Jakob war unschlüssig, dann zerrte er es doch aus der Umhängetasche. Es war Doerenbach, der verblüfft nach Helga fragte.

Doerenbach! Vierzehn Jahre lang hatte sich Jakob auch vor ihm versteckt. Er hatte jede Verbindung zu früheren Bekannten gekappt, um seine Vergangenheit abstreifen und in Anonymität abtauchen zu können. Jakob Amon? Der war einmal, ist vergessen!

Und jetzt Doerenbach! Jakob widerstand dem Reflex, das Gespräch sofort wegzudrücken. Raus aus dem Bunker, in dem er sich verschanzt hatte! Das Leben normalisieren! In kleinen Schritten, und das hieß jetzt: standhalten!

– Amon, sagte Jakob.

Am anderen Ende war ungläubiges Schweigen entstanden.

– Kennen wir uns? fragte Doerenbach.

– Ich denke, ja. Heiner Doerenbach vom HR, Redaktion Feature?

– Inzwischen Fernsehspiel, verbesserte ihn Doerenbach. Mann, Jakob, wo bist du denn abgeblieben.

Was für eine blöde Frage! Fast bereute Jakob, sich zu erkennen gegeben zu haben. Trotzdem: Darum ging es nicht. Das freiwillige Heraustreten aus dem Gehäuse war der eigentliche Punkt.

– Habe das Metier gewechselt, bin schreibender Journalist geworden.

Bevor überhaupt dieses leere Mir-geht's-gut-und-dir-geht's-gut aufkam, wollte Jakob gleich an Helga weitergeben. Doch die wedelte mit dem ausgestreckten Zeigefinger so energisch nein, nein! und machte dazu Gesten, als müsse sie kotzen, daß Jakob schnell anfügte: Kann sie zurückrufen? Und schon war dieses Telephonat bewältigt. Doerenbach war weg, für dieses erste Mal war, so fand Jakob, alles nicht so dramatisch verlaufen, wie befürchtet. Ein wichtiger Schritt war getan. Helga hielt ihm die Zeitung hin.

– Hier Fußballweltmeisterschaft: Deutschland gegen Jugoslawien. Willst du den Sportteil?

Jakob schüttelte den Kopf.

– Habe das Ergebnis schon im Radio gehört.

Als sie bei Virgilio saßen, fragte Helga: Woher kennst du Doerenbach?

– Von früher her, sagte Jakob. Ich habe mal Filmbeiträge gemacht, aber das ist schon fast nicht mehr wahr.

– Ach! Helga war erstaunt. Davon wußte ich ja gar nichts.

Virgilio stand schon eine Weile neben ihnen. Er wollte kurze, klare Bestellungen, wenn er an den Tisch kam. Kein Zaudern oder Nachfragen. Wenn man es dennoch tat, sagte er, das Gericht sei gut und notierte es als Bestellung. Virgilio hatte seinen Blick schon wieder von ihnen abgewendet und ließ ihn gehetzt und unruhig über das Lokal schweifen.

– Zuerst Bruschetta, und dann? fragte Jakob.

– Das Menü!

Virgilio hatte sich abgewendet und schlug mit einem weißen Tuch, das er immer an seiner Schürze hängen hatte, Krümel vom nächstgelegenen freien Stuhl, legte dann eine Speisenkarte zu den anderen auf einen Mauervorsprung in die Nische und klopfte sie zu einem sauberen Stapel zurecht. Er mochte es nicht, warten zu müssen. Er versuchte es nun ein zweites Mal, kam wieder, schaute aber nur auf seinen Block und den gezückten Stift, fragte: Zu trinken? Es gab keinen ruppigeren und unhöflicheren Wirt als Virgilio. Man aß und trank sehr gut bei ihm, Fraternisieren mit dem Gast war jedoch nicht inbegriffen. Helga bestellte das Knoblauchbrot und das Menü. Jakob ergänzte, das gute mit Tomaten und Öl, und rieb dabei Daumen und Zeigefinger, um anzuzeigen, wie köstlich das Brot war. Als Wiedergutmachung für die Wartezeit. Virgilio sah befremdet auf seine Hände, weil sie eine Sonderbehandlung zu fordern schienen.

Die Bedienung brachte eine Karaffe mit Rotwein, Wasser und Gläser. Rinalda, eine Süditalienerin mit heller Haut und schwarzen, hinten zusammengebundenen Haaren. Jakob beobachtete sie. Rinalda wurde rot, sie begegnete Männern mit einem schwerfälligen, anerzogenen Widerstand. Rinalda schenkte ein, behielt dabei nur Helga im Blick.

– Seit wann interessierst du dich für andere Frauen?

Helga musterte ihn, wie ein Anflug von Röte über sein Gesicht zog. Sie wußte, daß er etwas einzufädeln versuchte. Er machte es umständlich. Rinalda servierte die Vorspeise. Es war eine mit Feldsalat umlegte Wachtel. Helga deutete auf den Teller. Sehe irgendwie absurd aus. Ein Vögelchen liege tot im Gebüsch auf dem Rücken. Wie der Kanarienvogel von Frieda, ihrer Freundin. Ob sie diese Geschichte schon erzählt habe?

Jakob schüttelte den Kopf.

Damals, bei dieser Hagelkatastrophe in München habe sich das Tierchen das Bein gebrochen. Irreparabel. Der Arzt habe es daher mit einer Zange weggezwickt. Das Vieh habe nun ausgesehen wie die Kanarienversion von *Long John Silver*. Allerdings habe der Vogel nun nach dem täglichen Bad elend gefroren und sei regelmäßig beim Versuch, sich das Wasser aus den Federn zu schütteln, von der Stange gefallen. Deshalb habe Frieda eine Rotlichtlampe neben dem Käfig installiert und nach dem Bad eingeschaltet. So sei der Vogel trockengewärmt worden. Aber eines Tages habe sie das Rotlicht vergessen. Sie sei in Eile aus dem Haus und erst nach Stunden wieder zurückgekehrt. Für den Vogel im Käfig habe es kein Entkommen gegeben. Er sei an der Stange geklebt, trockengedörrt zum einbeinigen, federgeschmückten Lederbeutel. Zu einer Art indianischem Totemtier. Helga deutete auf den Teller.

Jakob lächelte, wurde dann aber gleich wieder ernst. Helga beobachtete ihn beunruhigt, wartete aber geduldig. Er aß, trank Wein, bestellte Kaffee und Grappa, dann erst begann er. Ihm sei in der letzten Zeit viel durch den Kopf gegangen. Vielleicht ergebe sich ja irgendwann einmal die Möglichkeit, über seine Vergangenheit zu reden, um erklären zu können, warum er so geworden sei. Helga blickte ihn erstaunt an, daher setzte Jakob eilig hinzu, jetzt noch nicht, aber es sei ihm klargeworden, daß es nicht verkehrt sei, die Sache vom Ende her anzupacken, also das Leben, so wie er es jetzt führe, zu ändern. Daraus könne sich alles andere ergeben. Er habe sich einfach einzugestehen, daß er so, wie er lebe, nicht glücklich sei. Das Angenehme, nein, Wichtige, verbesserte sich Jakob, sei die Beziehung zu ihr, und da habe er gedacht… Jakob knetete verlegen die Hände.

– O Mann, sagte Helga, das klingt ja wie eine offizielle Verlautbarung.

– Vielleicht könnten wir ja zunächst einmal zusammenziehen? Eine neue, größere Wohnung suchen?

Ein Aufschrei! So ungläubig, als sei ihr eine Madonna im rosa Kleid mit himmelblauem Umhang und Sternenkranz erschienen.

– O Gott, sagte Helga, du meinst das ja ernst. Nein, bitte laß uns da heute nicht drüber reden! Ich habe heute soviel um die Ohren gehauen bekommen und kann noch keinen klaren Gedanken fassen, was solche Pläne angeht. Und du kannst noch mal in dich gehen, nicht daß dir morgen oder übermorgen kommt, daß das vielleicht nur eine Übersprunghandlung gewesen ist. Sag jetzt nichts dazu.

Helga küßte ihn über den Tisch hinweg auf den Mund.

11. Sperrendes Gut

Ein schöner Tag! Schon gegen acht Uhr morgens war der leichte Dunst verschwunden. Der Himmel war wolkenlos, die Luft klar, denn in der Nacht hatte es auf zehn Grad abgekühlt. Jetzt zeichnete der Sonnenstand die Umrisse der Häuser in scharfen Profilen. Es würde warm werden. Gabor Demeter hatte die Brille hochgeschoben und blinzelte in die Sonne. Nun zog er die Brille von der Nase und begann die dicken Gläser am Tischtuch zu putzen. Dabei kniff er die Augen zusammen und streckte den Kopf nach vorne der Sonne entgegen. Dann setzte er die Brille wieder auf, fuhr sich mit beiden Händen kratzend über seine Glatze wie durch einen dichten Pelz und kämmte mit den Fingern seinen weißen Haarkranz nach hinten. Vor sich hatte er die Zeitung ausgebreitet.

– Fertig mit Zeitunglesen? fragte Martha, die ihn ungeduldig beobachtet hatte.

– Die Deutschen sind draußen, erwiderte Gabor entschuldigend.

– Seit wann interessiert dich Fußball? Wann fängst du an?

– Muß diese Aktion wirklich heute sein?

– Sie muß, Gabi. Wie lange willst du das denn noch hinausschieben? Oder glaubst du, du hast das ewige Leben?

Beleidigt stellte Gabor das Frühstücksgeschirr auf dem Tablett zusammen und trug es in die Küche.

– Stell es einfach neben die Spüle, ich mach das schon! rief ihm Martha nach.

Er gab zunächst keine Antwort. Wütend begann er Wurst und Käse wegzupacken und das Geschirr in der Spülmaschine zu verstauen. Gabor schmetterte die Kühlschranktür zu. Er war in der

Klemme und konnte mit Martha nicht so streiten, wie er gewollt hätte. Sie hatte eine Operation hinter sich gebracht und war daher immer noch zu schonen. Ohne Beißhemmung hätte Gabor diesen Konflikt anders ausgetragen! Wie das bucklige Männlein, dazu ostentativ hinkend, durchquerte er die Eßdiele, in der sie saß, nahm den großen Schlüsselbund vom Haken, versenkte ihn in seiner Tasche und warf die Haustür hinter sich zu.

Vor mehr als zwanzig Jahren hatten die Demeters eine Neubauwohnung gekauft, in der sie immer noch lebten. Alles war damals frisch und funktionierte. Eingerichtet war die Wohnung wie ein Altbau. Dunkle, schwere Möbel, Wandteppiche, massive Bücherregale, Ölgemälde. Nach und nach platzte die Wohnung aus allen Nähten, deshalb hatten sie die Gelegenheit ergriffen und das nebenan freiwerdende Appartement dazugekauft. Nicht daß sie ein zusätzliches Zimmer für sich benötigt hätten, es war die Unzahl von Gegenständen, die überhand genommen hatten. So wurde das Appartement nach und nach zu einem Lagerraum, bis es so voll war, daß nur noch eine Schneise durch gestapelte Kartons, ausrangierte Schränke, schief stehende Regale mit Kisten, Koffern und Geräten hindurch führte. Gabor hatte immer wieder angekündigt, den Dschungel zu lichten, bis Martha die leeren Versprechungen satt hatte und ihn auf ein Datum festlegte, eben jenen schönen Maitag.

Gabor schloß die Tür zum Appartement auf und stöhnte. Was war denn überhaupt wegzuwerfen? Warum war es Martha nicht zu vermitteln, daß es nicht bloß um Dinge ging? Jeder Gegenstand hielt Erinnerungen gespeichert – ideelle Werte, Martha! –, die mit ihm starben, wenn man ihn endgültig wegschaffte. Warum konnten nicht die Nachkommen dieses Geschäft übernehmen?

– Nein, um Himmels willen, wandte Martha stets ein, wir müssen doch unsere Sachen selbst in Ordnung bringen.

Gabor fühlte sich schon beim Gedanken an die bevorstehende Aufgabe erschöpft. Die erste Kiste war voll von Manuskripten, daher sakrosankt. Überhaupt durfte Geschriebenes nicht vernichtet werden. Auf diese Weise versuchte Gabor Maßstäbe und Regeln zu entwickeln, eine Strategie, das schien ihm wichtiger, als blinden Aktionismus zu entfalten. Selbstverständlich mußten auch praktische, noch voll funktionsfähige Dinge erhalten bleiben. Andernorts wurden sie doch gesucht, und man bezahlte viel Geld für sie. Dann gab es praktische Gegenstände mit leichten, ohne großen Aufwand behebbaren Mängeln. Auch die waren tabu. Dinge im Wartestand, auf dem Sprung zur Reparatur. Sieben Koffer! Vier davon leer, drei wahrscheinlich leer, weil sie nicht mehr zu öffnen waren.

Der erste von ihnen ein Lederkoffer, eine Antiquität, wie es sie inzwischen nicht mehr gab, mit aufgeklebten Plaketten: Rom, Madrid, Brüssel und Athen. Beim Versuch, ihn aufzuschließen, war der Bart des Schlüssels abgebrochen und im Schloß steckengeblieben. Aber für einen gewieften Sattler ein leichtes! Bei zwei Koffern sprang das Schloß von alleine auf, wenn man sie belastete. Hier genügte vielleicht schon ein wenig Spezialöl, die salzige Feuchtigkeit in Italien hatte wohl ein wenig den Sperrmechanismus beeinträchtigt. Von zwei verschlossenen Koffern waren die Schlüssel verschwunden, aber wahrscheinlich nicht wirklich verloren, sondern nur verlegt. Martha räumte ja viel und gerne den ganzen Tag über und hatte wohl einfach vergessen, wo diese Schlüssel lagen. Bei einem weiteren Koffer war das Scharnier herausgebrochen. Ein Stückchen Leder zur Unterstützung, zwei neue Schräubchen, fertig war die Laube! Der letzte Koffer war voll funktionsfähig, allerdings hatte Gabor darin eine Tüte Pfirsiche transportiert. Aus den Augen, aus dem Sinn! Schließlich hatten sie zu faulen begonnen, und der vergorene Saft war in das Futter und das Leder eingesickert, kurz: er stank unerträglich, wenn man ihn öffnete. Lüften, lüften, lüften, wenn draußen mal wieder so richtig die Sonne schien, zum Beispiel heute, das ist doch, dachte Gabor, eine wirklich gute Idee! Er zog den Koffer hervor, fuhr mit dem Aufzug hinunter in den Hof und legte ihn aufgeklappt auf den Boden.

Oben wieder angekommen, sagte er sich, daß er nun systematischer vorgehen müsse. Härter. Aber das eigentliche Problem war die tiefe Traurigkeit, die er bei dem Gedanken spürte, sich von dem angesammelten Gut trennen zu müssen. Abschied nehmen, darum ging es. Warum war dieser Fernsehapparat hier? Schwarzweiß oder kaputt? Eine Zimmerantenne gab es auch noch. Er steckte sie ein und schaltete den Fernseher an. Und dieser Grill? Ein technisches Wunderwerk der sechziger Jahre. Einfach mal ausprobieren! Schnarrend und klackernd begann die Uhr zu laufen. Der Spieß drehte sich einwandfrei, die Spirale allerdings zeigte noch keine Reaktion, aber das kam vielleicht noch. Ein Toaster, braun, mit stilisierter Sonnenblume. Häßlich durchaus, aber sonst?

Ein Geräusch! Besuch riß Gabor aus seinen Gedanken.

Gabor Demeter saß vor dem Fernseher, als Jakob Amon die angelehnte Wohnungstür öffnete, an die er vergeblich geklopft hatte. Die Nachrichten liefen. Gabor hatte seine Jacke abgelegt und die Ärmel hochgekrempelt. Grill und Toaster hatten das kleine, vollgestellte Zimmer backofenartig aufgeheizt.

– Ja bitte?

Gabor fuhr hoch, als er Jakob endlich in der Tür stehen sah.

– Entschuldigen Sie, daß ich hier so eindringe. Sind Sie Gabor Demeter?

Gabor nickte. Erst jetzt bemerkte er Jakobs musternden Blick. Deshalb fügte er rasch hinzu: Reine Abstellkammer hier gewissermaßen. Ich wohne nebenan.

– Jakob Amon. Ich bin Journalist. Habe Ihr Buch gelesen. Hätten Sie ein bißchen Zeit für mich?

– Wollen wir einen Kaffee trinken? fragte Gabor hoffnungsvoll. Gehen wir doch rüber!

Was für eine Fügung!

– Besuch, Martha! rief Gabor in die Wohnung hinein, um allen Anwürfen gleich zuvorzukommen. Ich habe Besuch bekommen. Völlig überraschend.

Kurze Zeit darauf saßen sie am Tisch. Martha hatte Kaffee gemacht und sich dann ein wenig abseits von den beiden in ihren Ledersessel gesetzt.

Jakob hatte zaghaft nach dem Buch gefragt, aber Gabor griff jedes Stichwort auf und erzählte so mäandernd, als habe er einen alten Freund getroffen, um mit ihm sein Leben aufzuarbeiten. Martha durchschaute ihn und wurde sauer. Sie wußte, warum er wie aufgezogen redete. Gabor war gerade eben aufgestanden, drehte sich wie in einem Sauerkrautfaß im Kreis und stampfte dabei mit den Füßen.

Sie hätten ihn als Minenhund benutzt, sagte Gabor. Er habe an der Spitze laufen müssen. Die anderen, die Herrenmenschen, in gebührendem Abstand dahinter. Tag und Nacht verfügbar, wenn eben eine Patrouille losgeschickt worden sei. Ihn aus dem Schlaf gerissen und los. Immer schön vorneweg. Und immer stampfend. An mutmaßlich gefährlichen Stellen fester. Und drehen, immer so im Kreis herum! Und hoffen, daß da unten nichts wäre.

Jakob nickte. Er schien unschlüssig, wie er sich verhalten sollte.

– Nehmen Sie das nicht so ernst!

Martha machte sich endlich Luft.

– Gabor schildert seine Erlebnisse immer wie Streiche, spielt gerne den Abgebrühten. Aber Sie müssen sich vor Augen halten, daß er in dieser Hinsicht einfach ein wenig spinnt. Wie andere auch, hat er einen KZ-Tick.

– Martha! protestierte Gabor.

– Nebenan, fuhr Martha fort und thematisierte, was Gabor vermied, in diesem Gerümpel liegen gut und gern zehn Koffer von ihm. Alle kaputt. Glauben Sie, daß er auch nur einen wegwerfen könnte? Warum? Ich will es ihnen sagen: Weil man damals, zweiundvierzig, nur fünfzig Kilo *nichtsperrendes Gut*, wie es hieß, also Kleider, Wäsche und Verpflegung mitnehmen durfte. Für die *Umschichtung*. Also nach Auschwitz. Koffer, Taschen oder Rucksäcke waren knapp. Säcke wurden genäht, vollgestopft, mit Riemen verschnürt, Decken daraufgeschnallt. Am Leib trug man soviel wie möglich. Aber an der

Rampe haben sie einem ja alles weggenommen, was man mit sich geschleppt hatte.

So war es. Gabors Vorstellung war, daß Koffer einen Hausstand beweglich machten. Er ließ sich in ihnen verstauen, wegschaffen. Irgendwohin, wenn es wieder soweit war. Flucht, Vertreibung, Verhaftung – das waren Möglichkeiten, die stets ins Auge zu fassen waren. Viele Koffer verschafften da mehr Sicherheit.

– Schon gut, Martha, sagte Gabor, schon gut. Ich gehe nach nebenan und mache weiter. Kommen Sie, wenn Sie von mir noch etwas wissen wollen, müssen Sie mich begleiten.

Gabor war aufgestanden, winkte Jakob zu sich. Der war sitzen geblieben und blickte unschlüssig auf Martha.

– Gehen Sie nur! Ich räume das schon weg, sagte sie.

Also lief Jakob Gabor hinterher.

– Erinnern Sie sich an den Fall Karmann?

– Natürlich, erwiderte Gabor. Hat mir eine Menge Ärger eingetragen. Doerenbach, ein Redakteur vom Hessischen Rundfunk, hat mich damals auf die Sache aufmerksam gemacht und hat mir Material zukommen lassen. Zur Sichtung und freien Verwendung. Ich habe nachrecherchiert, es stimmte: Karmann hatte kurz vor Kriegende sechzig Geiseln erschießen lassen. Die Karriere von Karmann war ein Skandal.

– Sehen Sie das heute auch noch so?

– Natürlich! Ich habe einen Artikel über den Fall geschrieben. Aber es war wie eine Verschwörung, niemand wollte ihn. Ich habe ihn allen renommierten Blättern angetragen. Schließlich ist er dann in *Links* erschienen. Ein Szeneblatt, inzwischen längst verschwunden. Ein paar Wochen später wurde Karmann umgebracht. So, und daraus haben sie versucht, mir einen Strick zu drehen: Ich hätte einen Hetzartikel in einem Kampfblatt veröffentlicht. Der habe die Gewalttat provoziert. Ich mußte mich sogar verhören lassen. Sympathisant der Terrorszene. Geistige Brandstiftung. Das waren die Vorwürfe. Demeter, hieß es, sei ein Schreibtischtäter.

Gabor wühlte in einer Kiste, zog eine Mappe mit Papieren hervor.

– Hier, das ist das Manuskript. Würde ich heute genau so wieder schreiben. Ohne Abstriche.

– Fanden Sie es denn gerecht, daß Karmann umgebracht worden ist?

– Gerecht, ja! Weil Karmann ein Verbrecher war. Ein Mörder.

– Aber?

– Ich billige diese Tat nicht. Niemals! Sie haben mich im Lager gequält, versucht, mich zu deformieren. Dort gibt es nur zwei Sorten von Menschen: Täter und Opfer. Die einen oben, die anderen unten. Dann bin ich draußen und akzeptiere dieses System in einer anderen Variante: Ich will ihnen in derselben Münze zurückgeben, was sie mir angetan haben? Karmann abschießen?

– Warum nicht? Müssen Leute wie Sie immer die Dulderrolle übernehmen? Warum lassen Sie sich alles aufpacken, statt einmal zurückzuschlagen?

– Wem nützt das? Was an seiner Existenz oder seinem Tod löst meine Lebensproblematik?

– Irgend jemand muß es doch zu seiner Sache machen. Oder sollen Leute wie Karmann ungeschoren davonkommen?

– Und was haben die erreicht, die Karmann bestraft haben, wie Sie sagen? Der Fall Karmann ist nie aufgerollt worden, wie ich das versucht habe, statt dessen ist dieser Mensch zum Helden verklärt worden.

– Und das, glauben Sie, kann die Frage unserer ganz persönlichen Verantwortlichkeit lösen?

– Worauf wollen Sie hinaus? Sie argumentieren doch wie ein Kopfjäger, der dafür zu sorgen hat, daß Unrecht gesühnt wird! Wenn es sonst niemand tut, schwärmt er aus und bringt ihn um?

Jakob schwieg.

– Es ging nie nur um Karmann! Immer auch um die anderen, die nichts gesehen, gehört und gewußt haben. Die haben genauso Schuld! Und was mache ich dann? Hätte ich Rache nehmen sollen?

An wem? An allen etwa? Mir ist es in erster Linie darum gegangen, Verhältnisse zu verhindern, die Leute wie ihn hervorbringen.

Gabor fuhr sich mit beiden Händen durch die Haare und fixierte Jakob.

– So, jetzt nehmen wir einmal an: Die Mörder von Karmann hätten recht gehabt. Sie leben heute noch, sind also nicht unter den vielen Toten der RAF. Dann sind sie mit ihrer Tat immer noch allein, sind Außenseiter, sogar Ausgestoßene, die sich nicht zu erkennen geben dürfen. Hätte einer wie Stauffenberg überlebt, wäre das anders gewesen. Jemanden umgebracht zu haben, das ist doch nur dann zu verarbeiten, wenn alle daran mitwirken, das ist ein kollektiver Prozeß. Verstehen Sie? Das mag ja bei einem Raubmörder anders sein, aber ein politischer Attentäter appelliert immer an eine höhere Gerechtigkeit, und wenn sie ihm nicht gewährt wird, wird er genauso zum Opfer historischer Verhältnisse, wie es derjenige geworden ist, den er umgebracht hat. Da gibt es keinen Ausweg!

Später, als Jakob gegangen war, sah Gabor das Häufchen durch, das er für den Sperrmüll beiseite gelegt hatte: alte Kochbücher, eine zusammengerollte Steppdecke, Tischtücher, ein Fußschemel. Seufzend stellte Gabor die Dinge wieder zurück. Völlig sinnlos! Er gab sich einen Ruck und ging nach nebenan. Martha saß in ihrem Sessel und blickte ihn fragend an.

– Martha! Gabor sprach, als gelte es, ein Todesurteil zu verkünden, unwiderruflich, für alle Ewigkeit. Martha, ich kann das nicht. Da ist kein Stück, von dem ich mich wirklich trennen könnte. Es gibt zwei Möglichkeiten: Entweder wir holen den Sperrmüll und lassen alles unbesehen von dort drüben ausräumen und wegfahren, oder es bleibt, wie es ist.

Martha stand wortlos auf und ging in die Küche. Gabor hörte, wie sie sich Tee zubereitete.

– Im Hof steht noch ein Koffer von dir, sagte sie schließlich. Denk dran, ihn wegzuräumen. Es könnte regnen.

12. Viel Glück, Mann!

Bis dahin war alles wie ein Schweben gewesen, und Bärloch hatte die günstigen Umstände wie Aufwinde genutzt, um immer mehr Höhe zu gewinnen. Als jedoch eine Woche später das Telephon klingelte, verwandelte sich das Hochgefühl jäh in das eines Absturzes.

– Hier F. M. Jakobs, sagte die Stimme am anderen Ende.

Bärloch erschrak.

– Sie wünschen?

Er tastete in der Schublade nach Zigaretten. Ganz hinten war noch ein angebrochenes Päckchen. Zittrig fingerte er eine heraus. Feuer! Gottverdammt, wo gab es jetzt Feuer? Er klemmte den Hörer an der Schulter ein und durchsuchte beide Hosentaschen.

– Hallo? fragte Jakob, der das Rascheln hörte.

– Moment mal, nuschelte Bärloch. Ich brauche mal … Und schon fiel der Hörer zu Boden.

Jakob vernahm ein Rumoren. Schubladen wurden gezogen, dann klickte ein Feuerzeug.

– Bin wieder da, sagte Bärloch. Sie wünschen?

– Wir kennen uns nicht, fuhr Jakob Amon fort. Aber ich bin Journalist und arbeite freiberuflich für viele renommierte Blätter. Ich möchte gerne mit ihnen ein Gespräch führen.

– Worüber?

– Was das Ende der RAF für Sie bedeutet. Was Sie dazu denken.

Bärloch fühlte sich schwach, wehrlos, hatte aber zum zweiten Mal das Gefühl, endlich angekommen zu sein. Daß es sinnlos war, immer nur auszuweichen. Es war, als habe er immer schon auf diese Konfrontation gewartet.

– Und wie haben Sie sich das gedacht? fragte er.

– Ich besuche Sie in Ihrem Haus. Sie widmen mir zwei Stunden, das dürfte reichen, erwiderte Jakob Amon.

– Wann?

– Wann Sie wollen.

Bärloch besann sich fieberhaft. Eine Woche würde Vera noch da sein. Die mußte unangetastet bleiben. Daher sagte er: Übernächste Woche. Einundzwanzigster Juni.

Jakob Amon blätterte in seinem Kalender.

– Gut, das geht in Ordnung bei mir. Fünfzehn Uhr?

– Fünfzehn Uhr, bestätigte Bärloch zaghaft und legte auf.

Abends lag Bärloch auf der Terrasse, hatte eine Decke um seinen Leib gewunden und hielt ein Bier in der Hand. Vierzehn Jahre lang hatte er darauf gewartet, daß sie ihn aufspüren und aufsuchen würden. Er hatte Jakob nie als Sicherheitsrisiko eingeschätzt. Aber wenn er sich geirrt hatte, und Jakob nun doch in Verbindung mit einer neu formierten Kommandoebene stand, der Rückzug nur die Öffentlichkeit täuschen sollte? Die alte Angst war hochgekommen und mit ihr die alten Bilder: Aus dem hitzeflirrenden Wüstenhorizont hatte sich eine Gruppe herausgeschält, eine Karawane, die stetig näher kam. An der Spitze ritt einer, der jetzt deutlich die Züge Jakob Amons trug. Aber wie sah er inzwischen aus? Kaum mehr Erinnerung an ihn! Sein Gesicht changierte zwischen jung und alt. Bilder gab es damals nur in Grautönen. Sie überhaupt im System zu haben, war schon ein großer Fortschritt gewesen. Auch für sein Dossier hatte er kein neueres auftreiben können. Amon hielt sich versteckt. Bärloch öffnete ein Bier und warf den Kronkorken in den Eimer. Es klang wie ein Gong, der Eimer war leer.

Vera sah ihn am nächsten Tag besorgt an. Bärloch hatte aufgequollene Augen, als presse sie ein innerer Überdruck aus den Höhlen.

– Geht es dir nicht gut?

– Fürchterlich, sagte Bärloch ohne Umschweife. Ein Rückfall. Er sei eben doch noch nicht am Ende seines Wegs angelangt. Da fehle noch ein letztes, vielleicht entscheidendes Stückchen. Er könne das jetzt nicht erklären, aber wenn er das alles gut überstanden habe, packe er hier ein und ziehe mit Sack und Pack nach Köln.

– Wann? fragte Vera.

– Noch in diesem Jahr, erwiderte Bärloch.

Am Morgen des einundzwanzigsten Juni war Bärloch früh erwacht. Warum hatte er sich überhaupt auf dieses Treffen eingelassen? Trottete wie ein Lamm in die Richtung, die man ihm wies. Er hatte von seiner Mutter geträumt, zum ersten Mal wieder seit langer Zeit dachte er an sie. Wie sie damals gestorben war. Man hatte sie gegen ihren Willen ins Krankenhaus eingeliefert. Dort war sie zu schwach, um noch einmal zu rebellieren. Ihr Lebensmut war erschöpft, sie wollte sterben. Sie stellte Essen und Trinken ein, wurde daher künstlich ernährt. Nun konnten enge Freunde und Verwandte nur noch kommen, um von ihr Abschied zu nehmen. Eingeschüchtert saßen sie neben ihrem Bett, spürten Krankheit und Tod dicht bei sich und weinten. Wie im normalen Leben war es seine Mutter gewesen, dachte Bärloch, die ihnen Trost gab. Sie begann sie zu umhegen, fragte nach Kaffee für ihren Besuch, bestellte Kuchen, erzählte, fragte nach den Kindern, versuchte sie aufzurichten und aufzuheitern. Um es ihnen allen nicht so schwer zu machen. Das waren die letzten Tage gewesen. Wahrscheinlich hat sie dem Tod selbst noch Komplimente gemacht. Bitte gern, jawohl, wie Sie wünschen, natürlich, es ist soweit! Genau so fühlte er sich, es ging ihm womöglich an den Kragen, er hatte das Treffen dennoch nicht ablehnen können. Wir kommen nicht aus unserer Haut heraus, befand er. Dann stand er auf und ging noch im Schlafanzug in die Kammer an einen Schrank, den er stets verschlossen hielt. Er nahm die dort verwahrte Pistole heraus, füllte das Magazin mit Patronen, ließ es einrasten und legte die Waffe in das Bücherregal im Wohnzimmer. Jetzt erst bereitete er sich das Frühstück.

Punkt fünfzehn Uhr stand Jakob Amon vor der Türe. Er war magerer, als Bärloch ihn erwartet hatte. Schmales Gesicht, eingefallene

Wangen, leicht gebeugt. Er trug einen olivgrünen Blouson und eine braune Hose. Sandbraun! Er sah aus, als habe er nächtelang nicht geschlafen. In seinen Mundwinkeln waren Ablagerungen von trockenem Speichel. Er war fahrig, nervös, aber freundlich. Wollte gerne einen Nescafé. Bärloch plazierte ihn auf einen Sessel im Wohnzimmer, wo er ihn stets im Blick hatte, und ging in die Küche, um Wasser aufzusetzen. Umständlich baute Jakob Amon das Aufnahmegerät auf dem Tisch auf, zitterte, als er das Mikrophon in den Ständer preßte. Dann zündete er sich eine Zigarette an, sog den Rauch tief ein und verströmte ihn wie einen Seufzer. Ständig wippte sein Bein. Bärloch registrierte all das mit Genugtuung. Es machte ihn sicherer. Mit einem Tablett und dem Kaffee kam er zurück.

– Bitte schön!

Jakob Amon stellte nur höfliche Fragen. Er blickte dabei kaum auf, hielt sich an sein Manuskript. Schließlich wollte er wissen: Wie hat das alles Ihr Leben beeinflußt?

Bärloch zuckte die Achseln.

– Mein Leben? Sehen Sie selbst!

Damit schlug er vor, ihn durchs Haus zu führen.

– Ein Atriumbungalow, sagte Bärloch, als sie den Gang nach hinten gingen, dessen Beleuchtung sich abschnittweise selbst einschaltete. Drumherum, das haben Sie gesehen: die Kaserne. Mein wichtigster Schutzschild. Sie kontrollieren auch den Luftraum. Was drüberwegfliegt, bekommen sie hier am Radar mit. Dann eine Fülle von Sicherungsmechanismen, die ich im Lauf der Jahre eingebaut habe: Bewegungsmelder, die Außenscheiben sämtlich aus Panzerglas, Alarmanlagen, die auf Erschütterung oder Berührung reagieren, manchmal sind es auch Lichtschranken, dann heult es los, wenn jemand durchgeht. Auch Selbstschußanlagen sind eingebaut. Die gesamte Außenfront läßt sich über Video abscannen. Hier Schlafzimmer, Bad und Umkleide.

Die Lichter am Anfang des Ganges schalteten sich wieder aus. Beide schauten sie in das Schlafzimmer hinein. Neben Jakob sah Bärloch das Vertraute mit den Augen eines Fremden. Die Bettdecke war zur Seite geworfen, das Laken vielfach gefältelt, eine blau geblümte Matratze schaute heraus, der Schlafanzug lag verknäult obenauf. Auf dem Boden lagen Computerzeitschriften gestapelt, Gläser, Wasserflaschen und Valium auf dem Nachttisch, Bücher, oben auf dem Schrank ein Fernseher und im Zimmer auf dem Boden verstreut Wäsche, ein Handtuch. Das Rollo war heruntergelassen, seine Lamellen nur halboffen. Es roch schweißig und abgestanden, als seien Teppich und Matratze mit diesem Muff imprägniert. Nur Hilde hatte früher einfach die Fenster geöffnet.

Bärloch spürte Übelkeit. Ein Schweinestall! Früher war ihm das nie bewußt geworden. Wie der Gestank aus dem Bett von Chalturin, dachte er noch: Chalturin hatte einen ganzen Flügel des Winterpalastes in die Luft gesprengt. Allerdings hatte der Zar diese mächtige Explosion überlebt.

Chalturin schleicht sich als Handwerker in den Palast ein. Chalturin spielt den gutmütigen Tölpel. Repariert Wasserleitungen, reinigt verstopfte Abflußrohre. Alles, was Kibaltschitsch an Dynamit produzieren kann, schafft Chalturin in einem Handkoffer in den Palast. Über einen Zentner. Chalturin will noch mehr. Am sichersten sei es, wenn das ganze Gebäude in die Luft flöge. Aber wohin mit dem Sprengstoff? Sein Bett ist das einzige Versteck. So schläft er Nacht für Nacht auf dem Dynamit. Dann taucht ein unvorgesehenes Problem auf, und Chalturin muß früher handeln: Das gelagerte Dynamit beginnt zu stinken. Obwohl es weitab im Keller liegt, belästigen pestartige Dünste die nächste Umgebung. Chalturin nimmt alles auf sich. Seine Aufgabe sei es, Abflüsse und Kloaken zu reinigen. Auch Säuren würden dafür benötigt. Das lagere in seinem Zimmer, wo sonst? Draußen geht ein Verdacht um, ein Anschlag im Winterpalast sei geplant. Daher wird eine Kontrolle durchgeführt. Aber schon in der Nähe von Chalturins Zimmer drehen die Agenten ab. Es ekelt sie vor dem Gestank.

– Geht es wieder? fragte Jakob.

Bärloch hatte sich auf das Bett gesetzt. Er war bleich und kurzatmig. Rasch stand er auf.

– Das Fenster mußte immer geschlossen bleiben.

Er schaltete den Ventilator ein, der die Luft nach draußen beförderte.

– Ach was! sagte er dann heftig und riß beide Fenster auf.

– Ihre Frau? fragte Jakob Amon und zeigte auf die Photographie, die auf der Kommode stand.

– Wir sind getrennt, erwiderte Bärloch. Seit ungefähr acht Jahren.

Bärloch schloß die Türe hinter sich. Die Lichter im Gang waren immer noch gelöscht. Bärloch rührte sich nicht, stützte sich an der Wand ab. Beide standen sie nun im Dunkeln.

– Seit vierzehn Jahren Kerker!

Bärloch machte eine heftige Bewegung mit der Hand, die das Licht einschaltete. Er schüttelte sich und dachte dabei an einen Hund, der sich der Nässe entledigt. Nun ging er wieder voran und wies mal links, mal rechts, als sei die Führung ein Pflichtpensum.

– Mein Magazin für PC-Zubehör und Altteile, Besenkammer, ein Gästezimmer und hier mein Arbeitszimmer.

Bärloch öffnete den Raum. Die Rechner brummten. Darüber lag ein hochfrequentes, kaum noch hörbares Pfeifen. Lämpchen blinkten, die Schonerprogramme am Bildschirm vollführten geometrische Metamorphosen: Kugel zu Quader zu Zylinder zu Pyramide zu Kugel. Farbig, mit metallisch anmutender Oberfläche. Es war deutlich wärmer in dem Raum. Bärloch drückte einen Fußschalter, und die Lichter gingen an.

– NT-Server mit zwei Arbeitsstationen, ISDN-Verbindung zum Internet, Standleitung, geht über Router an die Arbeitsstationen.

An der Wand auf Tischen standen zwei Drucker, ein Kopierer, darunter ein Bandlaufwerk. In den Raum hinein waren Regale aufgestellt wie in einer Bibliothek. Jahrgänge kriminalistischer Zeitschriften, soziologische Standardwerke, Devianzforschung, die blauen MEW-Bände, datierte Mappen, aus denen Zeitungsschnipsel ragten, eine undatiert mit Pornoheften: *Horny tits.* Überall am Boden liefen Kabel. Da, wo Bärloch zuletzt gearbeitet hatte, standen eine Kaffeetasse, ein Teller mit eingetrocknetem Eigelb und drei Stapel CD-ROMs. Das Rollo fuhr hoch und gab den Blick auf die Terrasse frei. Hier hatte Bärloch groß aufgeräumt. Vera zuliebe. Alle dort aufgestapelten Bierkästen, die Wasser- und Weinflaschen, ein alter Holzkohlengrill, Stühle und ein ausgebleichter Sonnenschirm waren weggebracht worden. Nur seine blau gepolsterte Liege mit dem Kronkorkeneimer stand noch am alten Platz. Weiter draußen der Vulkansteingrill mit roter Gasflasche. Jakob Amon stand, schaute und registrierte alles genau, als habe er einen Museumsbesuch zu protokollieren.

– Ihr Kaffee wird kalt, sagte Bärloch und wies wieder Richtung Wohnzimmer.

Jakob Amon setzte sich wieder in den Sessel. Seine Nervosität hatte sich gelegt, sein Bein wippte nicht mehr auf und ab. Er bot Bärloch eine Zigarette an. Immer noch *Rothändle.*

– Sind selten geworden. Bärloch drehte die Zigarette in der Hand und besah sie, bevor er Feuer nahm. Und Sie? fragte er dann.

– Nicht so technisch, aber sonst kaum ein Unterschied: Ich lebe genau so. Das könnte meine Wohnung sein. Die Arbeit steht im Mittelpunkt. Ich lese viel, sammle Bücher und liefere regelmäßig meine Artikel.

– Warum denn? Sie sind doch ein freier Mann geblieben.

In Jakobs Gesicht stand Erschrecken.

Geblieben! Jakob Amon wendete sich zur Seite, als sei jemand neben ihn getreten. Er drückte auf die Stoptaste des Aufnahmegeräts. Bärloch wußte alles. Wahnsinn! Was war das für eine Idee gewesen? Kecker Ausflug in Feindesland. Sich die wiedergewonnene Unantastbarkeit beweisen. Dem Schatten, der schon solange über ihm lag, entkommen. Aber wenn Bärloch alles wußte, warum hatte er dann geschwiegen? Jakob spürte, wie nahe ihm der andere gerückt war, so als läge er auf dem Rücken und habe Bärlochs Gesicht direkt über sich. Unerträglich groß. Seine Bartstoppeln, den Hauch seines Atems, den roten Pickel. Dazu die Hand an seiner Kehle. Aber warum drückte er nicht zu?

Vielleicht wollte Bärloch mit ihm reden und hatte ihn aufgefordert: *Zeige deine Wunde!* Jakob schüttelte den Kopf, krümmte sich im Sessel nach vorne und stützte sich mit den Armen auf den Oberschenkeln ab.

Endlich erwiderte er: Mein Leben gestaltet sich nach einem inneren Zwang, keinem äußeren. Aber ist da ein Unterschied?

Jakob wartete, ob Bärloch etwas sagen würde. Tat er aber nicht, er wartete darauf, daß der andere fortfahren würde. Beide saßen sich gegenüber und schwiegen. So entstand ein stummes Einverständnis über das Ungesagte, das zwischen ihnen hin- und herwanderte und so deutlich zu lesen war, als sei es eine Leuchtschrift. *Ich habe Karmann ermordet. – Ich weiß.*

Immer noch dauerte das Schweigen an. Jetzt belauerten sie sich gegenseitig, um festzustellen, wer zuerst die Nerven verlieren würde. Zwei auf dem Sprung: das eingefrorene Bild einer unvollendeten Bewegung. Jakob fingerte an der Zigarettenpackung herum, riß sie weiter auf und zündete sich eine Zigarette an, damit etwas geschah. Diese Situation mußte irgendwie bewältigt werden. Aber nur wer schwieg, behielt die Möglichkeit, zu dem alltäglichen Umgang zurückzukehren, den sie nun immer weiter verließen. Es lag ja auch eine Versuchung in diesem Schweigen, sich noch weiter hinein zu begeben, sich darin treiben und von ihm mitreißen zu lassen, um schließlich überwältigt das lang Unterdrückte auszusprechen. Es waren ja nicht die dürren Tatsachen, sondern das, was sie ihnen zugefügt hatten: *vierzehn Jahre Leiden.* Dichte Intimität nistete sich zwischen Bärloch und Jakob ein.

Ähnliches hatte Jakob früher einmal mit seinem Vater erlebt, als er Geld gestohlen hatte. Er betrachtete den Vater als Feind, der ihn bestrafen würde, für das, was er getan hatte, solange er ihn ihm nicht gegenübertreten mußte. Erst in seiner Gegenwart verflüchtigte sich diese Haltung, weil Jakob in seinem Gesicht nicht nur Ärger, sondern auch Schmerz lesen konnte. Auch er sagte ja nichts, tat nichts, sondern wartete, bis Jakob zu erzählen begann, was geschehen war. Das Reden brachte eine große Erleichterung, und Jakob war glücklich, sich ihm vollständig offenbart zu haben.

Mein Gott, dachte Jakob, auf welche Abwege bin ich geraten. Es geht nicht um eine Ohrfeige, sondern um mein Leben. Was soll er tun? Mir nach einem Gespräch unter Männern verzeihen? *Ich werde schweigen wie ein Grab. Und noch was, Amon: Viel Glück, Mann!* Lächerlicher Kitsch! Er ist ein Bulle, ich ein Gewalttäter, und das ist objektiv.

– Entschuldigen Sie, sagte Jakob, aber man kommt ins Grübeln. Jetzt erst verstehe ich, was Sie gesagt haben. Sie und die anderen, die Sie verfolgt haben, haben dasselbe Schicksal.

Bärloch nickte. Er hatte gespannt auf ein Wort oder ein Zeichen gewartet, mit dem Amon sich zu erkennen geben würde, und war jetzt erleichtert, daß er nichts dergleichen gesagt hatte. Was hätte er mit diesem Eingeständnis anfangen sollen? Es hätte ihn in Schwierigkeiten gebracht. Er konnte doch nicht offen mit einem politischen Gewalttäter paktieren! Unmöglich! Andererseits empfand Bärloch es als unerträglich, daß der Grund von Jakobs Besuch womöglich im Ungewissen blieb. Wenn er also reden wollte, dann sollte er es tun, und deshalb hatte er ihm Gelegenheit dazu gegeben. Er hatte aber die Gelegenheit ausgeschlagen, und jetzt? War er also doch vorgeschickt, um ihn auszuspionieren. Bärloch wurde unruhig, stand auf und ging zu dem Bücherregal, in dem die Pistole versteckt lag. Er zog die Bücher, die davor standen, eines nach dem anderen auf gleiche Linie.

– Ich sagte es schon: Für mich ist das hier wie ein Kerker. Ist es das, was Sie wissen wollten?

Jakob überlegte ein Weile.

– Ich habe Ihre Laufbahn von Anfang an mitverfolgt, natürlich nur soweit darüber berichtet wurde. Ihre öffentlichen Auftritte, Ihre

Fahndungsmethoden, Ihre Erfolge und auch Ihren Abgang. Ich hatte immer das Gefühl zu verstehen, was in Ihnen vorgeht. Und ich habe mich gefragt: War das nur eine Projektion, Ihre Person eine Phantomgestalt? Das wollte ich aufklären. Ich bin gekommen, um meine Vorstellung durch ein klares Bild zu ersetzen.

Bärloch ließ erleichtert die Hände sinken und sah, wie Jakob aufstand und ihm zunickte. Er verstaute Aufnahmegerät und Skript in seiner Aktentasche, zog dann noch eine Visitenkarte aus seinem Kalender und reichte sie ihm. *F. M. Jakobs, Autor, Journalist.* Dann verabschiedete er sich.

Zu Hause verspürte Jakob das Bedürfnis zu trinken. Er hatte bereits die zweite Flasche Rotwein entkorkt. Es war wie ein Gang in den Tigerkäfig, dachte Jakob. Aber er hat mich nicht gebissen. Er hätte gekonnt, wollte aber nicht. Warum? Ich hätte ihn fragen können. Nein, ich sollte ihn nie fragen. Es könnte seine Motive zu schweigen wieder zum Problem werden lassen. Sie sind zerbrechlich, man sollte nicht mit ihnen spielen.

Jakob hob das Glas und trank. Die RAF hatte aufgegeben, Bärloch würde schweigen. War das nicht eine zweite Chance, eine Einladung zu einem neuen Leben?

Da klingelte das Telephon.

Nach Jakobs Weggang lag Bärloch draußen auf seiner Terrasse, sinnierte und trank Bier. Alles war ihm noch gegenwärtig. Bald hatte er herausgefunden, daß Amon der Täter war. Daraufhin rief Bärloch Zweigelt an. Er klopfte auf den Busch. Deutete an, er wisse etwas im Fall Karmann. Gerne sei er bereit zu helfen, wenn man ihn wieder einbinden wolle. Zweigelt verstand nur das eine: Bärloch versuchte wieder einen Fuß in die Tür zu bekommen. Er wurde grob. Bärloch solle gefälligst seinen Beratervertrag erfüllen und den Rest den Behörden überlassen. Guten Tag!

Bärloch grollte. Er behielt deshalb alles für sich. Nichts würden sie von ihm bekommen, es sei denn, sie fragten bei ihm an. Hochoffiziell und mit Sänfte! Und das hieß, daß Zweigelt ihm gefälligst die Füße zu küssen hatte. Höchstpersönlich. Und auch dann würde er erst mal sagen: Vorsicht mit der Zunge, Herr Minister, ich trage Wildleder. Aber sie kamen ja auch nicht zu ihm. Niemand, nicht einmal untergeordnete Beamte.

Damals im Amt war ein Jagdinstinkt in ihm lebendig gewesen, wenn es galt, seine Gegner von der RAF aufzuspüren. Seine Geschicklichkeit und Phantasie standen gegen die der anderen. Jemanden zu stellen bedeutete, daß er gesiegt hatte. Seine Arbeit war im wesentlichen getan, über Schuld oder Unschuld zu befinden, war Sache der Gerichte. Jetzt aber hatte man ihm klar bedeutet, daß man von ihm und seinen Erkenntnissen nichts wissen wollte. Sich gegen diesen Widerstand durchzusetzen, verbot ihm sein gekränkter Stolz. Er war doch kein Hund, der darauf konditioniert war, Amon zu apportieren. Zum ersten Mal stellte sich ihm die Frage, warum er es tun sollte. Das Wissen um den Fall begann in Bärloch zu gären, und die Sicht der Dinge veränderte sich. Um den Buchstaben des Gesetzes ging es nicht mehr, Bärloch nahm sich die Freiheit, Amon von einer höheren Warte aus zu beurteilen. Was der Artikel von Gabor Demeter aufführte, war richtig: Karmann war ein Nazi und ein Verbrecher gewesen. Der Tod von sechzig Personen war ihm anzulasten. Aber niemand hatte ihm den Prozeß gemacht. Nur wenn die Gesellschaft krank ist, findet der Terrorismus einen Nährboden. Er entspringt einem rigorosen Gerechtigkeitswillen. Dieser Nachweis ließ sich historisch führen. Einwandfrei.

Anfang Februar achtzehnhundertachtundsiebzig läßt sich Wera Sassulitsch beim Petersburger Stadthauptmann Trepow melden. Sie habe ein Bittgesuch vorzubringen. Da sie Tochter eines Gutsherrn ist, entspricht Trepow ihrem Wunsch. Als sie zu ihm vorgelassen wird, zieht Wera Sassulitsch eine Pistole schießt und verletzt den Stadthauptmann an der Schulter. Sassulitsch wird festgenommen und es wird ihr der Prozeß gemacht. Trepow, so bringt sie vor, sei persönlich für die brutale Mißhandlung des eingekerkerten Studenten Bogoljubow verantwortlich. Unter dem Jubel des Publikums wird Sassulitsch freigesprochen und auf den Schultern der Menge aus dem Gerichtssaal getragen. Als man noch einmal versucht, sie festzunehmen, kommt es zu Straßenschlachten. Sassulitsch flieht außer Landes.

Galt nicht dasselbe für Jakob Amon? Auch er hatte Karmann nicht umbringen wollen. Irgendwann würde Amons Tat in einem ähnlichen Licht betrachtet werden wie die von Wera Sassulitsch. Je länger Bärloch sich damit auseinandersetzte, desto mehr verwischten sich die Maßstäbe. Sein Motiv war nicht nur verständlich, es war sogar zu billigen. Natürlich war sein Weg ein falscher gewesen, auch die Ausführung der Tat war unglücklich, aber all das war zweifelsfrei einem moralischen Notstand entsprungen. Niemand hatte Anstalten gemacht, gegen Karmann vorzugehen. So hatte es Bärloch über die Jahre mehr und mehr von seinen angestammten Positionen weg in Jakobs Richtung geschoben. Bärloch paktierte nicht mit der Gegenseite, aber er fühlte sich handlungsunfähig: Der alte Jäger hatte sein Opfer bereits vor der Flinte, aber zum ersten Mal legte er sie beiseite, und begnügte sich damit, es im Auge zu behalten.

Bärloch öffnete ein Bier und warf den Kronkorken in den Eimer. Es klingelte wieder, er hatte in der letzten Zeit wieder gesoffen. Auch an diesem Abend. Das hier, das siebte Pils! Bärloch nuckelte an der Flasche wie durch einen Milchsauger, ließ dann die Luft hineinglucken, die den Schaum hochtrieb. Sein Kinn sank auf die Brust.

Spät in der Nacht erwachte Bärloch auf seiner Liege und griff zum Telephonhörer. Er wählte die Nummer von der Visitenkarte.

Jakob Amon nahm den Hörer ab, noch bevor er hallo sagen konnte, hörte er schon am anderen Ende der Leitung ein schweres Atmen. Vor einiger Zeit bereits hatte sich ein ähnlicher Anrufer gemeldet, er hatte sich wahrscheinlich in der Nummer geirrt, hatte wohl eine Frau erwartet und in den Hörer hineingekeucht: Ähnliches spürte Jakob Amon in sein Ohr sickern. Aber der andere sagte nichts, atmete nur, schluckte und schnappte. Brachte kein Wort heraus, aber auch so wußte Jakob Bescheid.

– Herr Bärloch?

– Hören Sie, nehmen Sie nie wieder Kontakt mit mir auf. Für mich ist diese Sache weg, aus der Welt. Begraben!

Danach hängte er ein.

13. Hammerschläge

Dann vor vier Wochen geschah es: Das Telephon klingelte mich morgens aus dem Bett. Es war Helga, vollkommen aufgelöst. Ich müsse sofort in das Polizeirevier an der Ettstraße kommen, sie benötige dringend meine Hilfe. Etwas Furchtbares sei passiert. Jakob sei in seiner Wohnung umgebracht worden.

Ich zog mich rasch an, nahm mein Rad und fuhr hinüber in die Ettstraße. Unten vor dem Gebäude wartete schon Helga auf mich und fiel mir weinend um den Hals. Aber Trost wußte ich ja auch keinen. Schließlich gingen wir hinein und meldeten uns bei Kommissar Brill an, der Helga verständigt hatte. Brill holte uns selbst ab und führte uns in sein Zimmer. Dort bot er uns Kaffee und Mineralwasser an. Er wartete noch ein wenig, weil Helga die Hände vors Gesicht geschlagen hatte. Ob wir jetzt aufnahmefähig seien? Helga nickte trotzdem.

Man habe aus der Nachbarschaft einen Hinweis erhalten. Der Postbote habe geklingelt, Amon habe aber nicht geöffnet. Sie hätten daraufhin die Wohnung aufschließen lassen und untersucht. Der Tote sei im Wohnzimmer auf dem Teppichboden ausgestreckt aufgefunden worden. Zweifelsfrei Mord. Amon sei mit einem Hammer erschlagen worden. Über den Täter wüßten sie noch nichts. Die Türe sei nicht aufgebrochen gewesen, offenbar sei nichts gestohlen worden, noch nicht einmal fremde Fingerabdrücke seien zurückgeblieben. Eine seltsame Angelegenheit. Auch sonst hätten er und seine Leute noch keinen Hinweis.

Brill hielt inne und musterte uns über seinen Schreibtisch hinweg. Dort lagen Papiere und Akten verstreut. Er öffnete eine Schublade und zog einen Aschenbecher hervor.

– Möchten Sie rauchen?

Helga zündete sich eine Zigarette an.

– Ich will Sie nach diesem Schock nicht unnötig quälen, aber gibt es irgend etwas Wichtiges im Zusammenhang mit dem Mord, was Sie mir mitzuteilen haben?

Helga schüttelte den Kopf.

– Dann benötigen wir im Moment nur noch Ihre Personalien. Wir kommen später auf Sie zurück. Nur eines noch, ich kann Ihnen das wirklich nicht ersparen: Einer von Ihnen muß mich in die Pathologie begleiten, um den Toten zu identifizieren.

– Marco! sagte Helga. Ich kann das nicht.

Ich spürte, wie sie sich in meinen Oberarm einkrallte. Ich nickte.

Ich fuhr mit Brill in die Pathologie. Wortlos saß ich neben ihm im Auto. Schon als wir ausstiegen, roch es nach Verfaultem und Verwestem in Essig. In dem Gebäude war der Gestank noch stärker. Brill ging voraus, ich folgte ihm beklommen den dunklen Gang entlang.

– Es ist kein Essig, erklärte Brill, sondern Formalin und Buttersäure. Die Leichenteile werden gewissermaßen zur Konservierung eingeweckt.

Wir gingen hinunter in den Keller, wo die Toten in schubladenähnlichen Containern zur Kühlung verstaut lagen. Ich fror. Brill steuerte eine bestimmte Schublade an und zog sie heraus. Ein starker, kaum erträglicher Verwesungsgeruch breitete sich aus. Zuerst sah ich das Schildchen mit der Nummer an seiner Zehe. Der Leichnam lag eingewickelt in eine Art Folie. Brill schlug sie beiseite und legte das Gesicht frei.

– Nicht erschrecken, die Ärzte haben ihn bereits obduziert, sagte er.

Das Schädeldach war am Scheitel entlang und an der Seite aufgeschnitten und abgehoben worden, um das Innere untersuchen zu können. Anschließend war alles wieder in die ursprüngliche Lage gebracht und grob zugenäht worden.

– Vorher hat er schlimmer ausgesehen, sagte Brill. Man hat ihn bereits gewaschen und hergerichtet. Gehirn ist ausgetreten, Blutgerinsel überall, alles war verklebt, und er war vollkommen unkenntlich.

Mir war schwindlig, ich wollte mir gar nicht vorstellen, wie er vorher ausgesehen hatte. Was ich sah, war schlimm genug: Jakobs Schädel war vielfach gebrochen, Knochenteile waren über- und ineinandergeschoben, durch drei tiefe Eindellungen war er deformiert.

– Es war wohl so, sagte Brill und holte aus – er spielte beide Rollen, die des Täters und des Opfers –, daß der erste Hammerschlag ihn an der rechten Kopfseite traf, vollkommen überraschend.

Brill deutete an, daß Jakob in die Knie ging.

– Er muß die Hände hochgerissen haben, um sich zu schützen.

Brill legte die Arme um den Kopf.

– Dann traf ihn der zweite Hammerschlag links, er sank nieder und im Niedersinken kam dann der dritte von oben, der auch den Armknochen beschädigte. Das war der tödliche Schlag, das wissen wir jetzt.

– Und der Hammer? fragte ich.

– War sein eigener. Im Arbeitszimmer auf der Fensterbank stand ein geöffneter Werkzeugkasten. Es sieht so aus, als habe er Regalbretter montiert. Es könnte sein, daß er dabei unterbrochen worden ist. Jedenfalls hatte er sich alles zurechtgelegt. Dann kam der Besuch. Er muß Handschuhe getragen haben. Wir haben keine Spuren gefunden. Nichts!

Der Körper dort im Container erinnerte mich zwar an Jakob, aber nur entfernt. Es war, als ob ich mit diesem Toten nie etwas zu tun gehabt hätte, er war mir vollkommen fremd. Dennoch sagte ich: Das ist Jakob Amon.

– Der Staatsanwalt wird ihn in Kürze zur Bestattung freigeben, erklärte Brill.

Es dauerte aber noch fast zehn Tage, bis es soweit war.

An die Beerdigung erinnere ich mich sehr genau. Mir ging es gar nicht gut. Ich hatte am Abend vorher zuviel getrunken. Ich war in

Jakobs Stammkneipe, das *Tex*, gegangen und war dort bis zur Sperrstunde geblieben. Um zwei Uhr fiel ich ins Bett, und für acht Uhr war schon die Beerdigung angesetzt. Das war keine Zeit, zu der ich mich schon in die Öffentlichkeit hätte begeben sollen. Ich hatte mich aus dem Bett gequält, hatte meinen Alkoholbasedow mit einem feuchten Waschlappen behandelt, einen Kaffee getrunken und statt Johanniskraut sogar Baldriantropfen genommen. All das half aber nichts, mir war einfach schlecht, ich spürte Hitzewallungen und Schwindel, befürchtete, umzukippen.

Außerdem war die Beerdigungsveranstaltung abwegig, dem Toten überhaupt nicht angemessen. Logischerweise kam ein Priester bei Jakob nicht in Frage. Verwandte gab es keine mehr, also hatte Helga einen Journalistenkollegen gebeten, die Feier zu organisieren. Er hatte sie angerufen, um sich zu erkundigen, was bei der Beerdigung geplant sei. Helga war wie gelähmt und fühlte sich außerstande, irgend etwas über das Notwendigste hinaus zu tun. Es hatten sich nur etwa acht Leute vor der Aussegnungshalle versammelt, Bekannte und Kollegen. Eine blonde, hübsche Frau in meinem Alter knüllte Taschentücher und weinte. Draußen umarmte sie Helga und stellte sich als Pia vor. Wahrscheinlich hatte sie einmal etwas mit Jakob gehabt. In der zweiten Reihe saß Heinz, ein Alki mit dicker Brille und der fahlgrauen Haut von Lebergeschädigten, und fuhr sich immer wieder zitternd durch die langen, schon spärlichen Haare. Im Hintergrund am Portal stand Kommissar Brill, alle anderen waren Journalistenkollegen, die Jakob kannten. Ich suchte in der Aussegnungshalle eine der hinteren Bänke und setzte mich. Louis Armstrongs *What a wonderful world* erklang, natürlich war das Lied als eine Hommage an das Leben gedacht. Was gäbe es schon gegen Louis Armstrong einzuwenden? Nichts, nur daß eben die gute Absicht so knüppeldick kam. Wo Jakob doch diesen ans Zerstörerische grenzenden Sarkasmus hatte. Für ihn also Louis Armstrong zu spielen war ein Verbrechen. Jakobs Welt war nicht schön gewesen, auch wenn Onkel Tom das sang, und ich war sicher, Jakob hätte in seiner verqueren Art das *Ave Maria* vorgezogen: Wenn schon, denn schon. Der Kollege von Jakob las eine vorgefertigte Rede, gut gemeint, aber das Wesentliche verfehlend. Er sagte, wenn Jakob Amon jetzt tot sei, was sollte das alles für einen Zweck gehabt haben? Die Weltmaschine, so zitierte er, sei für den einfältigen Sinn des Menschen viel zu kompliziert, um sie zu verstehen, es gehe in ihr auch meist nicht um den großen Sinn, fast immer um das Kleine: eine Geste, einen Satz, ein Lied. Schön gesagt, gut gemeint! Was aber, wenn auch das Kleine unentdeckt blieb? Dann hatte alles keinen Sinn. Daß Jakob Amon ermordet worden war, davon war keine Rede. Mit keinem Wort.

Helga ließ sich am Grab die Schaufel reichen und warf als erste Erde auf den Sarg und eine langstielige rote Rose hinterher. Dann traten die anderen nach und nach ans Grab. Ich war der letzte. Helga wartete auf mich und hakte sich bei mir unter.

– Wo gehen wir hin? fragte Helga, mein Einverständnis voraussetzend. Ich schlug das *Tex* vor, mein Stuhl dort war wahrscheinlich noch warm. Helga willigte sofort ein, wir nahmen ein Taxi, stiegen jedoch schon am Gärtnerplatz aus und gingen die restliche Strecke zu Fuß, obwohl ein kalter Wind blies.

Wir setzten uns dicht an die Heizung, um uns wieder aufzuwärmen. Helga schnaubte und schniefte, zupfte immer neue Taschentücher aus der Packung, tupfte und schneuzte, zerknüllte sie und warf sie weg. Sie trank Tee mit Rum, ich blieb eisern bei Kamillentee.

– Bist du krank?

– Habe heute einen empfindlichen Magen.

Helga erzählte, was ihr zu Jakob einfiel. Sie wollte gar nicht mit mir reden, sie wollte erzählen, sie wollte, daß ihr jemand zuhörte.

Helga bestellte immer wieder nach, ihr Gesicht hatte sich daher gerötet, sie begann zu nuscheln. Jakob sei ein Solitär gewesen. Der Mann in seiner letzten Verpuppung vor dem Aussterben der Art. Wie du übrigens auch. Helga tippte auf meinen Oberarm.

– Als ich ihn kennengelernt habe, habe ich gedacht: Oje! ist das ein schräger Typ. So ein vollkommen abgedrehter Bibliothekar. Aber andererseits – sie fixierte mit wäßrigem Blick ihr Glas – ertrage ich nun mal andere Männer nicht. Ich habe diese asoziale Art geliebt, diese Ernsthaftigkeit, mit der er sich auf seine Artikel geworfen hat, monatelang verbissen recherchiert, dann geschrieben, ohne je einen Strich darunter zu machen, um den Ertrag zu berechnen. Nie den anderen nach dem Mund geredet, nicht weil er ein Held gewesen ist, sondern weil er einfach keine Distanz zu seinen Ideen gewinnen konnte. Bockig, genau: auf eine so altmodische Weise wahnsinnig bockig.

Helga weinte wieder und preßte das Taschentuch an ihre schon geröteten Augen. Sie zupfte ihren Pony nach vorne, kämmte sich seitlich mit den Fingern, schüttelte den Kopf, damit das Haar lockerer falle, und deutete durch solche Bewegungen an, daß sie sich dahinter gerne wie hinter einem Vorhang versteckt hätte, eine Unmöglichkeit bei ihrer halblangen Frisur, eine Unmöglichkeit auch deshalb, weil Helga sich beständig das Haar raufte, sich darin verkrallte, Strähnen eindrehte, so daß alles wuschelig nach oben stand. Und dennoch dachte ich – wie kam ich nur darauf? – ständig an Medea, die, von Jason verlassen, ihr langes, geflochtenes Haar löst, wie in ein Tränentuch hineinweint, daran zerrt und reißt, ihr Gesicht dahinter verbirgt und sich an die Brust schlägt.

Helga schluchzte auf.

– Wenn ich ihn gebraucht habe, ist er gekommen. Jederzeit! Oft hat er, wenn mir nichts mehr eingefallen ist, eine Sendung oder einen Beitrag unter meinem Namen geschrieben, meine Texte durchgesehen, kritisiert und, wenn nötig, umgeschrieben. Verläßlich und hilfsbereit war er.

Helga schaute in ihr leeres Glas. Ihre Stimme war immer höher geworden, sie klang, als würde sie krakeelen.

– Komm, laß uns gehen!

Wir zahlten und gingen, sie ein wenig torkelnd. Gegenüber im warmen Hausgang stand ein Penner mit Pepitahut. Wir verabschiedeten uns an der U-Bahn. Nachdem Helga gegangen war, fühlte ich mich wieder besser. Es war nicht nur der Alkohol, es war auch Jakobs Tod gewesen, der mich geschlaucht hatte. Aber jetzt war er unter der Erde.

14. Das Manuskript

Jakob hatte Helga zu seiner Alleinerbin bestimmt. Da war nicht viel, nur das Problem, seine Habseligkeiten möglichst feinfühlig und sinnvoll zu verteilen. Helga meldete sich bei mir, und ich versprach, ihr bei der Auflösung seines Hausstands und der Hinterlassenschaft behilflich zu sein. Sie wolle nur, sagte sie, daß alles in gute Hände komme. Leider müßten wir noch warten, bis Jakobs Wohnung von der Polizei freigegeben sei.

Allerdings änderte Helga ihre Ansicht schon bald. Sie war verzweifelt, denn von allen Seiten wurde sie unter Druck gesetzt. Sie hatte nämlich damit begonnen, an Versicherungen und Behörden ein Schreiben zu versenden, daß Jakob tot und es daher sinnlos sei, ihn aufzufordern, diesem oder jenem *binnen* soundsovielen Tagen *nunmehr* nachzukommen. Im Gegenzug wurde Helga aufgefordert, diverse Unterlagen wie Geburts- und Sterbeurkunde oder Versicherungsschein einzureichen. Auch die Zentralbibliothek, die Jakob mit Pfändung bedroht hatte, wenn die überfälligen Medien nicht zurückgegeben würden, schrieb nun, man möge doch die Leihgaben bitte baldmöglichst *retournieren*. So häuften sich die Anforderungen zu einem Berg auf, und Helga wollte sich nicht mehr damit abfinden, daß sie einerseits eine Meute von Anspruchstellern ruhighalten mußte, aber andererseits keinen Zugang zur Wohnung und den Unterlagen bekommen sollte.

In der Wohnung war die Spurensicherung tätig gewesen, Beamte mit Handschuhen, die Photo- und andere Apparaturen hineintrugen. Diese Untersuchungsphase war beendet. Jetzt wolle man noch, so begründete Kommissar Brill die andauernde Sperrung, Jakobs Bücher und Aufzeichnungen sichten. Vielleicht ergäben sich daraus verwertbare Erkenntnisse.

Helga sagte den Ermittlungsbeamten nichts davon, daß auch sie einen Schlüssel hatte. Wir verabredeten uns abends vor dem Haus und überprüften von unten, ob noch Licht in der Wohnung war. Die Fenster waren dunkel, und wir schlichen auf leisen Sohlen nach oben. Helga steckte den Schlüssel ins Schloß, hielt die Luft an, bevor sie sacht die Tür aufschob. Sie waren weg. Jetzt sollte ich die Sachen mal durchsehen, während sie die verlangten Unterlagen ausfindig machen wollte.

– Wie kann man das alles sichten wollen und wozu? fragte Helga, als wir vor den Regalmetern, Bücher- und Zeitschriftenhaufen standen. Wer – um Himmel willen! – soll das denn alles durchsehen und lesen? Die erreichen doch nichts mit ihrer Aktion.

Helga war mir dankbar, daß ich sie begleitete und ihr fachmännische Unterstützung zu geben versuchte. Ich hatte einen Überblick über Jakobs Bücher und sagte ihr, welches die wertvolleren Stücke in seiner Bibliothek waren. Ich griff ein paar Erstausgaben heraus, wischte den Staub ab und gab Erläuterungen dazu. Auch die von der Bücherei angemahnten Werke – es waren sieben Titel – fand ich sofort und packte sie in die mitgebrachte Tasche, um sie gleich am nächsten Tag zurückzugeben. Sonst hätte ich es wieder vergessen. Während Helga nach der Versicherungsunterlagen Ausschau hielt, hob ich ein Regal an, um festzustellen, ob es an der Wand befestigt war. Schließlich war zu überlegen, wie das alles demontiert werden konnte. Dabei fiel ein Manuskript zu Boden. Es war an der Rückwand eingeklemmt gewesen. Das dicke Konvolut war von einem Einweckgummi zusammengehalten. *Attentat* hatte Jakob es betitelt. Ich blätterte es durch. Helga hatte mich vorher schon gedrängt, mir ein Erinnerungsstück auszusuchen. Alles stünde mir zu Verfügung. Als ich das Manuskript in Händen hielt, war mir sofort klar, daß ich es haben wollte. Mich damit auseinanderzusetzen war meinem Verhältnis zu Jakob angemessen, und vielleicht lernte ich ihn und seine Gedankenwelt im nachhinein besser verstehen.

Ich rief Helga und sagte ihr, daß ich dieses Manuskript gerne hätte.

Ich würde es vorläufig wieder im Regal deponieren. Helga sah es kurz an und wurde blaß.

– Wo kommt das her?

Sie drückte es an ihre Brust und verschränkte die Arme davor.

Ich sagte, es habe sich hinter dem Regal befunden. Dort hineingefallen oder absichtlich versteckt.

Helga überlegte, dann gab sie mir das Manuskript wieder zurück.

– Marco, du bist mein einziger Vertrauter. Hör zu, ich weiß das nicht definitiv, aber ich fürchte, Jakob hat früher einmal der RAF nahegestanden. Ich habe keine Ahnung, was da genau war. Vielleicht hätte Jakob es mir einmal erzählt, wenn wir zusammengezogen wären. Aber wenn da was dran ist, möchte ich nicht, daß seine Vergangenheit durch die Polizei noch einmal aufgerührt wird. Nimm das Manuskript gleich mit. Und wenn du irgend etwas findest, was ihn belasten könnte, sag mir Bescheid. Oder besser: Vernichte es.

Ich nickte.

Natürlich überflog ich noch in derselben Nacht das Manuskript. Schnell war klar, daß es nichts von dem enthielt, was Helga befürchtet hatte. Es war kein Bekenntnis zum Terrorismus, auch keine Anleitung zum Bau von Bomben. Ich fand keinen Aufruf zum Umsturz, konnte noch nicht einmal eine Rechtfertigung von politischer Gewalt herauslesen. Für mich war es eine grüblerische Auseinandersetzung mit dem, was einen Attentäter bewegen mochte. Eine Mischung aus Reflexionen und tagebuchartigen Einträgen, die in das Manuskript eingefügt waren. Es war noch nicht einmal klar, ob Jakob so dachte oder ob er die Gedanken von anderen festzuhalten versuchte. *Ethik des Attentäters* war ein Teil überschrieben. Ein anderer hieß *Die geschichtliche Funktion von Attentaten*. Im Rahmen eines historischen Abrisses waren einzelne Fälle beschrieben, die Taten der russischen Nihilisten beispielsweise, und ich erinnere mich an den Gedanken, ein Attentat nicht moralisch zu bewerten, sondern nur seinen Nutzen, seine geschichtliche Wirkung zu untersuchen. Diese ganze, normalerweise pflichtschuldig mitgelieferte Empörung über die Tat beiseite zu lassen, einfach mal zu sehen, was sie gebracht hatte. Wirkung, Funktion, das Urteil der Geschichte – so diese Richtung. Ich war enttäuscht, hatte Spektakuläreres erwartet. Also tat ich, was ich auch mit Büchern tue, die meine Erwartung nicht auf Anhieb erfüllen: Ich legte den Text beiseite und nahm mir vor, ihn später einmal gründlich zu lesen.

Kurze Zeit danach erhielt ich einen Anruf von Brill, er wolle mir noch ein paar Fragen stellen. Wieder suchte ich ihn im Revier in der Ettstraße auf. Brill gab sich ratlos. Es gebe noch keinen Anhaltspunkt. Man finde keinen Zugang zu dieser Person: kaum Freunde, keine Feinde, statt dessen ein Einsiedlerleben über fast fünfzehn Jahre hinweg.

– Mal ganz einfach gefragt, Herr Sentenza. Womit hat er sich denn die ganze Zeit beschäftigt?

Brill ging auf und ab und hielt die Hände auf dem Rücken verschränkt. Er blieb jetzt am Fenster stehen und schaute hinunter auf den Hof.

– Bücher gelesen, Artikel geschrieben – ein Intellektueller eben.

– Und die Themen?

– Vor allem politisch-historische Themen: Figuren der Kolonialgeschichte, Bismarck, die russischen Nihilisten.

Brill wirbelte herum. Ich erschrak. Es war, als hätte etwas gezündet.

– Diese Anarchisten?

– Ja.

– Wie kommen Sie darauf? Davon wissen wir hier nichts. Wir haben alle seine Papiere durchgesehen und nichts dergleichen gefunden.

Ich zögerte, weil ich mich unter Druck fühlte. Dies wäre der Moment gewesen, mich ihm anzuvertrauen. Aber es ging nicht, es wäre Helga gegenüber Verrat gewesen. Natürlich wäre dann, von heute aus gesehen, die ganze Sache für mich erledigt gewesen, aber wie hätte ich Helga je wieder unter Augen treten können? Ich sagte daher, Jakob und ich hätten des öfteren darüber diskutiert. Aber Brill war mißtrauisch geworden. Er spürte, daß ich ihm etwas vorenthielt. Er fragte, wann ich zum letzten Mal in Jakobs Wohnung gewesen sei. Ich log und redete mich auf einen ungewissen Zeitpunkt vor seinem Tod hinaus. So kam eines zum anderen. Meine Unvorsichtigkeit, die Nihilisten zu erwähnen, ein paar Lügen, und schon hatte ich mich in die Scheiße hineinmanövriert. Denn jetzt bin ich ziemlich sicher, daß es genau dieses Manuskript gewesen ist, das die Mörder von Jakob gesucht haben. Anders ist nicht zu erklären, warum mir beinahe ähnliches wie Jakob widerfahren ist.

Es war Samstag. Ich betrat meine Wohnung und hörte Geräusche. Ich stand in der Tür, war mit Einkaufstüten beladen. Ich stellte sie ab und rief: He!, was ist denn hier los?

Manchmal ist es wie ein Zwang, denselben Fehler noch einmal zu machen, nur weil man sich das erste Mal glücklich aus der Affäre ziehen konnte. Diese alberne Frage: He!, was ist denn hier los? hatte ich schon einmal in einem ähnlichen Zusammenhang gestellt. Damals war mein Auto aufgeknackt worden. Die Beifahrertür stand offen, ein junger Lederjackentyp saß auf dem Vordersitz und durchwühlte die Ablage. Zwei weitere Männer lehnten draußen am Wagen.

Im Universum meines Lebens sagen die Leute immer nur danke, bitte, guten Morgen und entschuldigen Sie! Ich mache immer Platz, helfe, Kinderwagen aus der Trambahn zu heben, habe ein schlechtes Gewissen, wenn eine Frau steht und ich sitze – ich habe also alle diese chronischen Konditionierungen eines unterwürfig-höflichen Schleichers. Diese klebrige, handfeuchte Beflissenheit.

Und weil ich mich schon immer dafür geschämt habe, rief ich: He!, was ist denn hier los? Meine Dummheit war für die drei verblüffend. Sie schauten sich an, stießen sich gegenseitig die Ellenbogen in die Seite. Glücklicherweise verzögerte die Verblüffung auch ihre Reaktion, jedenfalls wurde ich nicht verprügelt. Sie stießen mich vor sich her, weg vom Auto zum Hauseingang hin. Dann sagte einer: Laß ihn, gehen wir. Das taten sie dann auch.

Und weil das damals alles so glimpflich verlaufen ist, rief ich, die Einkaufstüten zwischen die Beine geklemmt, dasselbe wieder. Dabei wußte ich schon längst, daß in meine Wohnung eingebrochen worden war. Statt auf dem Absatz kehrtzumachen und Hilfe zu holen, öffnete ich die Türe zu meinem Arbeitszimmer. Daß ich diese Aktion überlebte, verdanke ich einem Zufall: Ein paar Wochen zuvor hatte ich einen Haushalt aufgelöst. In dem Kleiderramsch war mir eine russische Pelzmütze aufgefallen. Marke Chruschtschow. Ich fand es witzig, mit dieser Pelzwanne auf dem Kopf herumzulaufen. Mein Glück! Sonst hätte mir der Schlag den Schädel zerschmettert. Es war wohl kein Hammer wie bei Jakob, aber ein schwerer, stumpfer Gegenstand.

Ich öffnete also die Türe und sah mein Arbeitszimmer verwüstet. Die Bücher waren herausgerissen, der Schreibtisch aufgebrochen, Papiere lagen auf dem Boden verstreut. Jakobs Manuskript, dachte ich sofort, weiß der Teufel, warum. Ja genau: Die Schublade war herausgezogen und leer. Dann erhielt ich einen Schlag auf den Kopf. Ich fiel. Das war es, fürchtete ich, merkte aber dann, daß ich nicht wegtrat, sondern alles noch haargenau mitbekam, schwarze, klobige Stiefel, graue Hosenbeine. Hau ab! schoß es mir durch den Kopf, ein lebensrettender Reflex, der ihn überrascht haben mußte. Ich sprang auf und rannte weg.

Zuerst rannte ich Richtung *Tengelmann*, schließlich Richtung *Thomasbräu*, und als ich auch dort angekommen war, Richtung Kino. Auch auf der Flucht bewegte ich mich nur im bekannten Revier. Meine Wege wären vorauszuberechnen gewesen. Ich war bei meiner Flucht so ungeschickt und hilflos wie die Mäuse, die ich auf einem Bauernhof zu fangen gelernt habe. Sie lugen aus ihrem Loch mit vibrierenden Schnäuzern, bewegen ihren Kopf so rasch hin und her wie die Unruh einer Uhr und huschen dann los. Unmöglich, ihnen hinterherzukommen. Beobachtet man sie aber aus einiger Entfernung, ist zu sehen, daß sie immer auf derselben Bahn laufen, wie von einer Schnur gezogen. Man muß nur über die Stelle, an der sie vorbeikommen werden, den umgedrehten Nachttopf halten.

Gott sei Dank war mir niemand gefolgt. An meinem Schädel

schwoll eine große Beule. Vor jeder Ecke, vor jeder Ausfahrt hatte ich ein Gefühl, als sträubten sich überall Haare mit schmerzhaften Nervenenden. Hysterische Angst vor einem neuerlichen Schlag oder sonst einer gewaltsamen Attacke. Schließlich landete ich beim Kino, in dem ich regelmäßig arbeite, und sperrte mich dort im Vorführraum ein. Dort hielt ich mich bis zur Abendvorstellung versteckt. Dann trieb ich mich in Kneipen herum, versuchte irgendwie Helga zu erreichen und meine Gedanken zu ordnen, trank aber zuviel Bier. Die Angst und der Schmerz mußten gedämpft werden. Nach der Sperrstunde ging ich wieder zum Kino zurück und übernachtete dort.

Es war furchtbar. Helga war weg. Brill unter die Augen zu treten, wagte ich nicht. Ich hatte ihn belogen und konnte ihm auch jetzt noch nicht die Wahrheit sagen, solange mich Helga nicht von der Verpflichtung entbunden hatte, die sie mir auferlegt hatte. Das Manuskript hatte ich eingebüßt, ich stand mit leeren Händen da. Meine Analyse fiel verzweifelt aus. Was tun? Warten und versteckt halten, bis sie mich gefunden hatten? Etwas Besseres als den Tod findest du überall, sagten die Bremer Stadtmusikanten zueinander, und so faßte ich auf dem Höhepunkt meiner Verzweiflung den Gedanken, den Spieß umzudrehen und mich meinen Verfolgern entgegenzustellen. Schon durch die bloße Vorstellung, das zu tun, fühlte ich mich gestärkt.

Natürlich habe ich immer noch Angst, aber jetzt gibt es kein Zurück mehr. Die Maus hat ihre Laufrichtung geändert, sie flieht nicht mehr auf der vorgezeichneten Bahn. Ich werde versuchen, die Täter aufzuspüren. Dazu habe ich eine Chance heute nacht in der Bibliothek, und wenn das nichts bringt, bleibt mir nur noch der Canossagang zu Brill. Das Fell werde ich mir jedenfalls nicht widerstandslos über die Ohren ziehen lassen.

Immer wieder behindern mich die alten Handicaps. Ich habe Jakobs Manuskript nicht richtig gelesen. Wie gewöhnlich eben quergelesen. Nur Reizwörter gesucht, nur versucht festzustellen, ob ich irgendwelche bedeutsamen Sachverhalte identifizieren konnte.

Das Eigentliche ist mir dabei entgangen. Womöglich hätte ich in seinen Papieren die Antwort auf alle Fragen finden können, die sich mir jetzt stellen? Viel wäre gewonnen, wenn ich genauer zur Kenntnis genommen hätte, was Jakob da ausgearbeitet hatte. Einiges ist dennoch hängengeblieben.

Logisch ist, daß hinter dem brachialen Vorgehen der Täter mehr steckt, als sich die interessanten Einsichten eines anderen unter den Nagel zu reißen. Viele Möglichkeiten gibt es nicht. Wenn eine Information als so wertvoll betrachtet wird, hat sie einen praktischen Nutzen. Welchen? Das Manuskript ist keine Anleitung zum Attentat, aber vielleicht kann man es als solche lesen? Als ein Handbuch des Attentäters. Eine Strategiekritik mit allen nötigen Fingerzeigen. Die aufweist, welche Fehler der Attentäter bei seinem Vorhaben nicht machen darf, und eine Richtung andeutet. Üblicherweise handelt ein Attentäter in einem engen moralischen Rahmen. Empörung treibt ihn. Er will das Gute und Gerechte durchsetzen, indem er das Böse auszulöschen versucht. Erschießen, in die Luft sprengen. Sein Motiv ist ein idealistisches. Aber die Geschichte interessiert sich nicht für Motive und dreht den Zusammenhang um. Sie verurteilt zumeist den Täter und verklärt das Opfer. So arbeiten die Folgen der Tat gegen ihn. Werden zur wirkungsvollsten Waffe, um seine Absichten zunichte zu machen. Das kann er nicht wollen. Er muß das moralische Korsett ablegen, er darf nicht bestrafen wollen. Er muß lernen, den Mechanismus der Geschichte zu beherrschen. Vielleicht ist es Jakob gelungen, diesen Widerspruch aufzulösen?

Eine andere, einfachere Möglichkeit ist, daß Jakob durch seine Studien etwas über die aktuellen Pläne einer Terroristengruppe herausbekommen hatte. Er ist ihnen im Verlauf seiner Recherchen begegnet. In einer Phase der Neuorientierung. Es ist ihm gelungen, ihre Absichten vorwegzunehmen.

Um sich ein Bild von den Tätern zu machen, genügt die Vorstellung, daß sie in der Lage sind, den Wert von Jakobs Arbeit abschätzen zu können. Es müssen Eingeweihte sein, die sich mit denselben Gegenständen beschäftigen. Die lesen und verstehen können, weil sie das gleiche Interesse haben.

Leute, die sich in bestimmte Gegenstände verbissen haben, lesen früher oder später die gleichen Bücher. Das ist ein Gesetz! Sie folgen allen Spuren und Irrtümern, die im Text, in Fußnoten und Literaturverweisen gelegt sind. Jakob hatte mich beispielsweise gebeten, ihm weitere Schriften von Netschajew zu beschaffen, wenn ich je welche in die Finger bekäme. Damit stand er nicht alleine. Ein anderer meiner Kunden hatte sogar einen größeren Geldbetrag dafür ausgesetzt. Einige seiner Texte gelten als verschollen. Behauptet jedenfalls ein Buch, das beide gelesen haben. Tatsache ist, daß eine Abhandlung von Bakunin heute Netschajew zugeschrieben wird. Letztlich sind solche Hinweise in Büchern Trampelpfade. Trotzdem glaubt jeder, ganz allein auf etwas Wichtiges gestoßen zu sein. Deshalb bin ich sicher, in der Zentralbibliothek fündig zu werden. Jakob war dort ständiger Besucher. Hier konnte er die ausgefallenen Bücher leihen, nach denen er suchte. Das gilt auch für jeden anderen, und diese Übereinstimmung ist meine Chance! Wenn sie dieselben Wege wie Jakob beschritten haben, hat das in der Bibliothek seinen Niederschlag gefunden. Und genau das werde ich heute nacht herausfinden!

15. Die Bibliothek des Attentäters II

Das Rascheln hat zugenommen. Gibt es eine Rattenautobahn hier? Tausende von Ratten, wogende Knäuel, alle im Bauch der Bibliothek? Abends kommen sie nach oben. Wolfgang, ein Freund von mir, hat mir erzählt, daß Ratten zum Sterben denselben Ort aufsuchen. Oder sind das Mäuse? Jedenfalls lebte er in einer Altbauwohnung mit Federböden, in deren Hohlräumen sich die Tiere eingenistet hatten. Nachts begann ein Scharren und Rascheln. Aber es war nicht weiter tragisch, man hatte sich daran gewöhnt, erzählte Wolfgang. Nur stank es immer im Wohnzimmer, dort, wo der Ofen stand. Ein Gestank wie vom Schlachthof, vollkommen unerklärlich. Eines Tages wurde der Kohleofen durch eine Zentralheizung ersetzt. Als man das Parkett ausbesserte, wo der Ofen gestanden hatte, entdeckten die Handwerker ein Massengrab: Ratten in allen Verwesungszuständen, ineinander verkeilt, alle vom Drang geleitet, in Ofennähe, im Warmen zu sterben.

Unten vor der Bibliothek rührt sich etwas. Zinsmeier ist wieder auf dem Parkdeck. Von meinem Fensterplatz aus sehe ich, wie er eine Karre mit Kies vor sich herschiebt, in der eine Schaufel steckt. Er stellt sie neben seinem Wagen ab. Kräftig sticht er mit der Schaufel in den Kies und bringt ihn von oben her auf die Fahrbahn, so gleichmäßig wie ein Sämann. Unsereiner würde, wahrscheinlich mit beiden Händen, Kies auf die Spur streuen, gerade soviel, daß man hinunterfahren könnte. Offiziantennaturen hassen solche Provisorien. Jedes Problem hat eine Wurzel. Hier beginnt auch ihr erzieherischer Auftrag. Aber selbst von diesem Standpunkt aus gesehen fällt mir nichts mehr ein, was Zinsmeier nun noch tun könnte. Bald muß er fertig sein, und ich kann endlich mit meiner Arbeit in der Bibliothek beginnen.

Ich esse mein letztes Sandwich. Das dritte! Jetzt bin ich pappsatt, das wirkt wie ein Sedativum. Und hoffentlich als Wärmeschub. Ich wickle den Mantel enger um mich. Inzwischen bin ich müde geworden. Jetzt eine Runde Schlaf, das wär's! Kommt aber nicht in Frage. Wie spät? Neun zeigt die Bibliotheksuhr. Zinsmeier hat unten auf dem Parkdeck die ganze Schubkarre mit Kies verteilt. Jetzt ist doch wohl Abfahrt angesagt?

Tatsächlich fährt Zinsmeier los, rutscht Stück für Stück die Ausfahrt vom Parkdeck zur Straße hinunter. Weg ist er! Es ist in der Zwischenzeit so glatt geworden, daß jeder später ankommende Wagen Schwierigkeiten haben wird, die Auffahrt zu nehmen. Wenn überhaupt, dann nur hochtourig und mit Schwung. Die Scheinwerfer erleuchten dann die Ausleihe. Wer den Raum betreten will, in dem ich mich befinde, geht den umgekehrten Weg wie Zinsmeier und steht irgendwann vor der Glasfront. Spätestens dann sehe ich ihn und habe noch ausreichend Gelegenheit, meine Spuren zu verwischen und mich zu verstecken. Für elf Stunden bin ich hier in Sicherheit, außer dem Wachdienst hat niemand sonst Zugang. Alles abgesperrt, verriegelt – Gott sei Dank! Von draußen droht mir jetzt keine Gefahr mehr. Ich bin geschützt und habe Zeit, gelassen und überlegt vorzugehen. Diese ganze Nacht lang.

Ich setze ich mich nun an Frau Schlehbuschs Arbeitsplatz. Ich weiß, wie ich vorzugehen habe, jetzt kommen mir ihre Informationen zugute. Aber ich tue es mit schlechtem Gewissen, denn Frau Schlehbusch ist so hilfsbereit gewesen. Ich wildere in ihrem System, das heißt, ich versuche es, denn wie so oft gibt es am Anfang einen Widerstand. Der Rechner fügt sich noch nicht.

Pete sagt immer, hacken ist wie am Automaten spielen. Du fütterst das Ding mit viel Geduld. Du denkst, du kriegst nichts. Aber wenn du das durchstehst, rasselt irgendwann der Münzstrom raus.

Meine Theorie ist anders. Auch ein Rechner mit seinen verschiedenen Teilen ist ein Organismus, der im Lauf der Zeit zusammenwächst. Verbindungen und Funktionen werden dabei erst ausgebildet. Die Unlogik des Rechners ist die eines Lebewesens. Sonst wäre vollkommen unverständlich, warum man mehrmals das Gleiche tun kann, ohne daß es dieselbe Wirkung hätte. Plötzlich haut ein Befehl hin, der gerade eben nicht funktioniert hat. Warum? Weil es Abstoßungsreaktionen gibt. Verweigerungen. Neue Teile in meinem Rechner werden nicht angenommen. Weil es wie eine Transplantation ist: Der Organismus wehrt sich. Er adaptiert das andere erst nach und nach. Aber dann, nach einiger Gewöhnungszeit, flutscht es.

So ist es mit dem Rechner von Frau Schlehbusch. Er bockt und wehrt sich gegen mich, als hätte er eine Ahnung, daß ich ein Eindringling bin. Ich mache ein paar einfache Sachen mit ihm, blättere die Verzeichnisse durch, rufe Programme auf, dann läuft alles so, wie ich will. Rechner sind nur mit Voodoo zu beherrschen.

Frau Schlehbusch kenne ich schon seit meinen ersten Besuchen in der Bibliothek. Und sie mich. Das war eine wichtige Hilfe. Früher stand sie noch am Aufzug, hob Bücherstapel heraus – Glück gehabt! – oder gab durchgestrichene Bestellzettel zurück, verliehen, falsche Nummer – wieder nichts! –, inzwischen sichtet sie die Bestände am Computer. Sie hat sich umschulen lassen. Ich paßte sie heute mittag ab, als sie gerade aus der Pause kam. Sie hatte sich aus dem System ausgeloggt, als sie ihren Platz verlassen hatte. Das war ein günstiger Moment. Ich ließ mir alles erklären, ganz detailliert, und stellte mich dumm, damit sie mir aus Vorsicht nichts vorenthielt.

Auf dem Server lägen zweierlei Stammdaten, Bücher und Leser. Wer welches Buch entliehen habe, lasse sich hier abfragen. Während sie redete, gab sie etwas ein. Ihre Hand schwebte über der Tastatur, sie suchte jedes Zeichen einzeln, dann schlug sie die Taste an und so nacheinander weitere, um sich nicht zu vertippen. So werden Kennwörter eingegeben.

– Ist denn auch noch gespeichert, was ich früher einmal entliehen habe? wollte ich wissen.

– Eigentlich nicht, sagte Frau Schlehbusch und beugte sich verschwörerisch zu mir vor, aber es gibt Sicherungsdateien, die weit zurückreichen. Wissen Sie, sie redete mit mir wie mit einem Laien, ein solches System kann ja abstürzen, deshalb die ständigen Sicherungen, die wir erst dann löschen, wenn wir Kapazitätsprobleme bekommen. Das wird aber bei unserer Ausstattung erst in einigen Jahren der Fall sein.

– Und wer kommt an den Server heran? fragte ich.

– Kein Unbefugter, lächelte Frau Schlehbusch, wir haben alle unser Paßwort.

Die Gute! Ihres kannte ich bereits. Es war *Hugo123*, vielleicht der Name ihres Mannes mit Zahlenzusatz, ich hatte ihr beim Einloggen genau auf die Finger gesehen.

– Frau Schlehbusch, ich gab mich ganz verzweifelt, Sie müssen mir helfen, ich habe ein Problem.

Sie musterte mich.

– Ach Gottchen, was denn?

Bis jetzt war alles glatt gelaufen, nun kam der schwierigere Teil. Ich holte eine Diskette aus meinem Notebook.

– Kaputt, sagte ich. Weiß der Teufel, warum. Die Arbeit von Stunden. Es gibt doch so Reparaturprogramme. Vielleicht kann man noch etwas retten. Wenn Sie so was auf Ihrem Rechner hätten!

Frau Schlehbusch war betrübt.

– Schon. Aber wir dürfen das nicht. Strikte Order. Wir dürfen keine Fremddisketten in unseren PC übernehmen. Nur wenn sie geprüft und vom Systemverwalter zugelassen sind. Viel zu gefährlich mit den Viren heutzutage. Tut mir wirklich leid.

Gott sei Dank beachtete Frau Schlehbusch solche Dienstanweisungen peinlich genau.

– Ob mir der Systemverwalter vielleicht unter die Arme greift? fragte ich.

– Herr Morlock? Na ja, warum nicht. Dahinten, Zimmer 021 sitzt er. Fragen Sie ihn.

– Bitte melden Sie mich doch an, sonst habe ich ohnehin keine Chance bei ihm, oder?

Frau Schlehbusch nahm den Hörer, wählte seine Nummer und sagte freundlich und bestimmt: Herr Morlock, ich schicke Ihnen einen jungen Mann mit einem Problem, das nur ein Spezialist wie Sie lösen kann. Dabei zwinkerte sie mir zu und wies mich mit dem Kopf Richtung Zimmer 021.

Man muß technischen Spezialisten immer die entblößte Kehle zum Biß anbieten, wenn man etwas von ihnen will. Man soll sie nicht herausfordern, nicht mit ihnen rechten oder streiten. Selbst wenn sie Fehler machen. Man soll darauf setzen, daß ihre nützliche Seite überwiegt. So habe ich es von meinem Freund Pete gelernt, der viele seiner Prográmmchen, wie er das nannte, in Firmennetzen über den Systemverwalter plazieren konnte. Man muß sie gewinnen lassen, dann kann man sie für die eigenen Zwecke einspannen.

Ich zeigte mich Morlock in demütiger Haltung.

– Was soll der Scheiß, knurrte er. Habe Besseres zu tun. Dann konnte er es doch nicht so stehenlassen und fügte nach einer Weile hinzu: Geben Sie schon her! Wieder machte er eine Pause. Dann artikulierte er wieder seinen Unwillen. Ich kann doch nicht einfach Ihre Diskette abprüfen, wenn ich im System bin. Bin doch nicht wahnsinnig. Weiß der Geier, was da alles passieren kann. Muß den Rechner erst runterfahren, verdammte Hacke.

Morlock loggte sich aus dem Netz aus und startete dann das *Disk Repair*-Programm. Er stieß sich, auf seinem Drehstuhl sitzend, mit den Füßen ab, wendete sich mir zu, Bildschirm und Tastatur im Rükken, und hielt die Ellenbogen auf dem Tisch aufgestützt. Ostentativ desinteressiert am Geschehen hinter ihm. Der Herr der Rechner.

Pete hatte mir beigebracht, wie man an Paßwörter herankam. *Password Catcher* nannte Pete solche Programme.

– Es geht nur darum, die Tastatureingaben abzufangen und erst mal auf dem System abzulegen. Du mußt es schaffen, daß dein Programm unbemerkt mit anderen hochgefahren wird. Aber vom Administrator. Nur er hat die Berechtigung, auf dem Server nach Gusto Dateien zu lesen und zu schreiben. Bei anderen gibt es beim

Speichern der Daten, die du brauchst, eine Fehlermeldung: *Kein Schreibzugriff!* oder so was, dann fliegst du mit deinem Prográmmchen auf. Wenn du es geschafft hast, bleibt dein Programm beim Administrator im Speicher und holt sich alles, was da eingegeben wird, und leitet es in eine Datei um. Dann kommst du und liest die Infos aus.

Morlock war gerade so nett, dieses Programm auf seine Festplatte zu übernehmen. Es piepte im Hintergrund. Morlock sah über die Schulter auf den Bildschirm. Fehler im Dateizuordnungssystem.

– Lächerlich. Wird automatisch repariert. Morlock ließ meine Diskette aus dem Rechner herausschnappen und wedelte mit ihr hin und her. Nicht noch mal, ja? *Buenos dias.*

Ich dienerte mich hinaus und sah noch, wie sich Morlock wieder einloggte. Es hatte hingehauen.

Alles, was ich jetzt tun muß, ist, mich mit Frau Schlehbuschs Paßwort anzumelden, meine Datei mit Morlocks Eingaben abzuholen, mich neu anzumelden, und dann kann ich mit allen Rechten eines Systemverwalters das Netz durchforsten. Natürlich hatte Morlock sein Zimmer verschlossen. Aber es gibt nichts mehr, was ich nicht auch von Frau Schlehbuschs Rechner am Infotisch aus erledigen könnte. Mit *Hugo123* komme ich sofort ins System, wo meine Datei abgelegt ist. Sie heißt *Mama.*

– Du mußt ihr einen Namen geben, den sonst niemand verwendet, sagte Pete. Wenn du sie meinethalben *Test* nennst, kannst du sicher sein, daß es eine solche Datei bereits gibt. *Alte Datei überschreiben?* fragt der Rechner, und du bist aufgeflogen. Nenne sie *Pippi* oder so, weil jeder Erwachsene sich schämt, eine Datei mit dem Namen *Pippi* anzulegen. Glaub mir das!

Auch hier hat Pete recht. Ich nenne meine Dateien immer *Mama* und hatte damit noch nie Schwierigkeiten. Auf keinem System hat es eine Dublette gegeben. Morlock hatte sein System penibel geordnet. Guter Mann! Die Daten des Servers wurden ständig auf einem weiteren gespiegelt. Dort befinden sich auch frühere Sicherungen. Es ist einfach, sich zurechtzufinden.

Eine Liste mit Büchern, die Jakob ausgeliehen hatte, habe ich auf Diskette mitgebracht. Diese Liste lasse ich nun mit den ausgeliehenen Büchern anderer Bibliotheksbenutzer vergleichen. Ich habe keine Vorstellung, wie lange das dauern wird. Stunden, Tage? Ich habe eine Nacht. Im Prinzip führen Rechner jede Aufgabe durch, die man ihnen stellt. Mehr kann ich nicht sagen, nur noch hoffen. Ich erinnere mich an einen Artikel, den ich vor langer Zeit gelesen habe. Es ging darin um einen russischen Wissenschaftler, der sein Leben der Erforschung von Primzahlen geweiht hat. Er hofft, eine Art Weltformel zu erhalten, wenn er sagen könnte, warum und nach welcher Logik bestimmte Zahlen Primzahlen sind und andere nicht. In welcher Häufigkeit sie auftreten und mit welcher Regelmäßigkeit. Solange er das System noch nicht kennt, muß er die Teilbarkeit jeder Zahl einzeln prüfen. Zahl für Zahl nach oben. Das läßt der Russe seinen Computer machen, ein Ungetüm, das den Raum eines ganzen Zimmers beansprucht. Als der Russe ihn angeschafft hatte, war er einer der schnellsten und besten Rechner. Nun ist er nur mehr Elektroschrott. Ein Veteran. Er rechnet bereits seit zehn Jahren. Die technologische Entwicklung hat ihn mehrfach überholt. Aber er ist in jahrelanger Arbeit für genau diese Tätigkeit eingerichtet worden, man hat ihm Prüfroutinen und Protokollprozeduren mitgegeben, die nur mit großem Aufwand auf ein modernes Rechnersystem übertragen werden können. So ausgerüstet hat er sich in Dimensionen hochgeschraubt, die seine Fortexistenz unverzichtbar machen. Kein anderer Rechner kann seine Arbeit übernehmen, es sei denn, man würde wieder von vorne beginnen. Inzwischen nimmt jeder weitere Schritt Monate in Anspruch. Es genügt schon lange nicht mehr, ab und zu nach Ergebnissen zu sehen. Der Rechner dominiert den Alltag, der Russe lebt ausschließlich für ihn. Jede Anomalie in seinem Brummen, Sirren und Vibrieren spürt er sofort heraus. Er kann sich nur noch im Unterhemd in seiner Wohnung aufhalten, denn sein Computer gibt ein Unmaß an Wärme ab. Er kühlt ihn mit Eis und feuchten Tüchern, hält beständig ein Stromaggregat am Laufen, um vor Ausfällen sicher zu sein, beobachtet und pflegt ihn wie einen Schwerkranken am Tropf. Im Prinzip ist nichts unmöglich für Rechner; er wird auch die letzte Primzahl ermitteln, es ist nur eine Frage der Zeit.

Je größer die Übereinstimmung, desto näher werde ich an den oder die Gesuchten herankommen. Ich will nur Namen mit fünfzig Prozent Übereinstimmung und mehr ausgeben lassen. Alles andere ist mir zu vage.

Zwei Stunden lang Ruhe. Nichts. Ich kann nur warten und mich wach halten. Immer wieder überprüfe ich, ob der Rechner noch lebt oder ob er schon abgestürzt ist. Plötzlich wird es draußen hell. Der Wachdienst! Ich schalte den Bildschirm aus und setze mich unter die Theke. Die Festplatte knackt und knistert, das Programm rumort im Leib des Rechners. Aber der Wachmann hört das nicht. Er ist ein alter, gebückter Mann im blauen Anorak, der den Gang entlangschlurft. Er bleibt draußen an der Glastüre stehen, ohne sie aufzusperren. Der Lichtstrahl seiner Taschenlampe gleitet über die Wände, die Regale entlang und wieder zurück zu den Tischen der Ausleihe. Das ist es, dann verschwindet er wieder. Jetzt könnte ich wieder ein Sandwich vertragen oder, besser noch, einen Kaffee.

Wieder passiert zwei Stunden lang nichts. Endlich macht es *Ping!*, und ein erster Datensatz wird am Bildschirm ausgeschrieben, die Übereinstimmung liegt bei zweiundfünfzig Prozent. Ich kenne den Namen: *Konrad Bärloch, Gredingerstr. 5, 91171 Herrnsberg.*

16. Access denied

Ich erinnere mich: Konrad Bärloch, ehemals Leiter der Sonderkommission Terroraufklärung. Daß Bärloch etwas mit dem Tod Jakobs zu tun hat, halte ich für ausgeschlossen. Aber es ist ein Beleg für meine Theorie: Sicher befaßt er sich mit denselben Problemen wie Jakob, und das hat seinen Niederschlag in der Bibliothek gefunden. Was tun? Es geht jetzt langsam auf sechs Uhr und der Rechner rödelt vor sich hin. Er hat den Buchstaben F immer noch nicht abgearbeitet. Ein aussichtsloses Unterfangen für die Zeit, die mir zur Verfügung steht. Eine Stunde noch, dann werden Frau Schlehbusch, Morlock und all die anderen wieder auf der Matte stehen. Aber vielleicht kann ich in Bärloch einen Verbündeten gewinnen? Ich könnte mich an ihn wenden, ihm meine Theorie schildern und ihn um Hilfe bitten. Sicher hat er noch Verbindungen und kann mir aus der Patsche helfen.

Okay, Schluß! Ich lösche alle Dateien, die ich angelegt habe, beende das Programm und fahre den Rechner herunter. Sorgfältig achte ich darauf, daß alles genauso liegt und aussieht, wie ich es vorgefunden habe. Frau Schlehbusch ist sicher eine von den Peniblen, die jede Veränderung sofort bemerkt. Adresse und Telephonnummer von Bärloch habe ich notiert, also packe ich meine Sachen zusammen und setze mich wieder hinter den Schlagwortkatalog. Jetzt bin ich so müde, daß mir alles egal ist.

– He!, Sie da, hallo!, aufstehen!

Ein barscher Ton, ein rüder Griff am Arm. Ich fahre hoch. Es ist hell. Verdammt, ich bin eingeschlafen! Zinsmeier hat mich am Wickel. Rasch versuche ich mich zu orientieren. Es geht auf elf Uhr.

Also kann ich auf normalem Wege hier reingekommen sein. Bin leider nur eingeschlafen. Ich mache auf Mitleid.

– Kreislauf. Es sind diese Hänger, und dann muß ich mich einfach kurz hinsetzen und ausruhen. Egal, wo ich bin. Aber es geht schon wieder, vielen Dank!

Mißtrauisch schaut Zinsmeier mich an. Ich versuche meine Kleidung zu glätten. Sicher sehe ich aus wie ein Penner. Übernächtigt, ungewaschen, mit lädiertem Schädel. Jetzt nur kein falsches Wort, bloß nicht vorpreschen! In solchen Situationen habe ich mich schon öfter vergaloppiert. Früher einmal hatte ich in der Bibliothek Otto Rahns Buch über die Katharer und den Gral verlangt. Nazilektüre sei im Giftschrank, erklärte die Bibliothekarin. Unausleihbar! Ich beugte mich vor, sagte, ich sei Sozialwissenschaftler, im Rahmen meiner Studien brennend an diesem Buch interessiert und wolle es jetzt haben oder den Leiter sprechen. Dann schickte man mich zum Leiter der Bibliothek, bei dem ich mich hochnäsig gebärdete: *Hören Sie mal, ich bin doch Wissenschaftler!* Er schaute mich unverwandt und forschend an. Schien mir kaum zuzuhören. Einen kurzen Moment lang sah ich mich mit seinen Augen. Verdammt, ich trug an diesem Tag zufälligerweise nur Schwarz. Schwarze Stiefel, schwarze Hose, schwarzen Rolli und meine schwarze Lederjacke. Genauso sehen Rechtsradikale aus, die einschlägige Lektüre aus der Bibliothek herauszuhauen versuchen. Und sie treten inzwischen genauso naßforsch auf. Ob ich mein wissenschaftliches Interesse denn belegen könne? fragte der Leiter. Das Buch war mir inzwischen egal, jetzt wollte ich mich nur noch von einem Verdacht reinigen. Klappte meine Brieftasche auf, bot Ausweis, Reisepaß, Führerschein oder Krankenkassenbescheinigung an. Studentenausweis? Ich sei ja schon fertig. Zulassungsarbeit bei Professor Kuhnemann, Sie verstehen? Es war zum Verzweifeln! Der Leiter wiegte den Kopf, sagte, mein Interesse sei für ihn nicht nachvollziehbar, es tue ihm leid. Wie einen geprügelten Hund schickte er mich vor die Tür, ohne mir Absolution erteilt zu haben.

– Kann ich Ihren Bibliotheksausweis mal sehen? fragt Zinsmeier.

Ich fasse in meine Tasche und suche sie ab. Zinsmeier fixiert mich mit mißtrauischem Blick. O mein Gott! Der Funke springt eine Weile lang hin und her, bevor die Erkenntnis zündet: Marco, du sitzt in der Tinte! Mein Ausweis liegt vorn an der Theke. Seit gestern. Wenn die das jetzt genau nachprüfen, fliege ich auf. Es ist zum Verzweifeln.

– Ach, Marco, du hast einen Unglücksmagneten in dir! so hatte es eine Bekannte von mir formuliert.

Frau Schlehbusch! Es ist, als gehe in meinem Kopf die Sonne auf und überstrahle meine trüben und trägen Gedanken.

– Sprechen Sie doch mit Frau Schlehbusch, sage ich, wir kennen uns!

– Mein Gott, Herr Sentenza, wie sehen Sie denn aus? ruft Frau Schlehbusch, als wir uns ihrem Tisch nähern. Er arbeitet zuviel, der Arme, sagt sie zu Zinsmeier.

– Tag und Nacht, sagt ich, diesen Gedanken zu meinen Gunsten aufgreifend. Ich bin da einer großen Sache auf der Spur.

Zinsmeier beginnt meine Verrücktheit in eine andere Richtung zu sortieren und läßt mich los. So ist die Sache durch Frau Schlehbuschs Eingreifen erledigt.

Endlich kann ich in die Cafeteria gehen. Es riecht nach frischem Kaffee. Dazu haben sie einen Korb frischer Croissants aufgebaut. Genau das brauche ich jetzt. Und dabei läßt es sich leichter überlegen, wie ich weiter vorzugehen habe.

Telephonieren! Unbedingt mit Helga. Hoffentlich ist sie schon zurück! Fehlanzeige! Ob ich es wagen kann, zu mir nach Hause zu gehen, um zu duschen und mich umzuziehen? Ich verwerfe den Gedanken, ich würde keinen Moment Ruhe haben. So muß ich also meine Rückkehr in die Gemeinschaft der gut riechenden und gekämmten Menschen aufschieben. Schweinigel, würde meine Mutter sagen. Regelmäßig zu baden war bei ihr eine Frage der Moral. Gut, ich werde also später zu Helga in die Wohnung gehen und das nachholen.

Schließlich versuche ich Bärloch anzurufen. Er muß mir helfen, er hat doch Beziehungen. Es tutet gut ein Dutzend Mal, bis er endlich abnimmt.

– Glück gehabt, sagt Bärloch, ich sitze schon auf gepackten Koffern. Wer sind Sie, was wollen Sie?

– Es geht um Jakob Amon. Nein, eigentlich seinen Mörder, der hinter mir her ist.

– Moment, bremst mich Bärloch. Amon ist tot?

– Ja, ermordet. Kannten Sie ihn?

– Ja. Erzählen Sie doch bitte der Reihe nach.

Ich erzähle Bärloch, was ich über Jakobs Tod weiß. Ich lasse kein Detail aus. Dann versuche ich ihm ausführlich zu erklären, was ich in der Bibliothek vorhabe. Meine Schilderung ist umständlich, aber Bärloch versteht sofort.

– Das heißt, Sie haben das Bibliothekssystem geknackt und sind damit an meine Adresse gekommen? fragte Bärloch.

– Ja, sage ich, Schlimmes befürchtend.

– Verschiedene Leihprofile miteinander verglichen... Und wie, wenn ich fragen darf?

– Mit einer simplen SQL-Routine, mit der man normalerweise Dubletten in unterschiedlichen Tabellen ausfindig macht.

Bärloch brummelt Unverständliches. Es knarrt und ächzt am anderen Ende der Leitung, als schwanke ein morscher Baum im Wind. Er überlegt. Ich verhalte mich ruhig, ich kenne das. Computermäßig gesehen scheint Bärloch derselbe Freak zu sein wie Pete. Endlich lacht er, so befreit wie Wissende lachen, wenn sie eine Rätselnuß geknackt haben.

– Donnerwetter!

– Und jetzt? frage ich, um ihn wieder auf den Boden meiner Probleme zurückzuholen, was soll ich denn jetzt machen?

– Sie müssen in der Bibliothek weitersuchen. Ihr Ansatz ist schlüssig. Oder jedenfalls das Resultat.

– Das müssen Sie mir erklären. Was haben Sie damit zu tun?

Bärloch schweigt. Dann fragt er: Was wissen Sie über Jakob Amon?

– Nicht mehr, als ich erzählt habe.

– Dann belassen wir das so. Aber glauben Sie mir, Sie haben mit Ihrer Technik mehr ins Schwarze getroffen als Sie denken. Machen Sie weiter! Ich spreche mit Brill und stimme ihn auf die Vorgehensweise ein. Brill war mein Assistent, er wird mir jeden Gefallen tun. Brill kann Ihnen Rückendeckung geben, Sie haben da von seiner Seite wegen Ihrer Informationsunterschlagung nichts zu befürchten. Ich selbst bin alt, fühle mich krank, ich kann Ihnen allenfalls aus der Entfernung helfen. Soweit es geht. Sobald Sie etwas finden, schicken Sie mir eine Mail.

Zum ersten Mal seit Tagen bin ich richtig erleichtert. Ich habe einen Verbündeten. Gut, noch eine Bibliotheksnacht, aber dann habe ich alles wiedergutgemacht, mein Fehler ist behoben, alles eingerenkt. Sicher wird auch Helga mit dieser Lösung einverstanden sein, daß ich Bärloch Lügen erzähle und mich noch weiter in Gefahr bringe, kann sie nicht wollen.

Wir tauschen unsere E-Mail Adressen aus, und sieben Stunden später sitze ich wieder am gewohnten Platz hinter dem Schlagwortkatalog. Alles ist wie am Vortag. Punkt acht ist das Licht ausgeschaltet, kurze Zeit später der Hausmeister verschwunden, und ich kann zu Werke gehen. Bevor ich den Vergleich der Leihprofile auf dem System anschiebe, wie ich es am Abend zuvor gemacht habe, überlege ich noch einmal und entscheide mich dann, einer Eingebung zu folgen. Vielleicht ist es eine Abkürzung, wenn ich einfach überprüfe, welche Bücher aus Jakobs Leseliste gerade ausgeliehen sind. Ich könnte diese Namen dann mit meiner Suchmethode weiter auswerten. Ich stelle die Anfrage zusammen und schicke sie ab. Dann überfliege ich die Tabelle, die am Bildschirm ausgegeben worden ist. Zunächst nichts, dann ermittle ich sechs Bücher, die weggegeben worden sind. Sechs? Ich sehe mir die Titel an. Es sind genau die, die ich vor einiger Zeit aus Jakobs Wohnung zurück in die Bibliothek gebracht habe. Ich spüre ein inneres Frösteln, das mich zittern macht. Ich rufe die Entleiherinformation auf und bin so nervös, als läge mein

Finger auf dem Abzug einer Pistole. *Access denied, file locked. Strike any key* ... meldet das System. Scheiße! Ich zucke zurück, das Keyboard ist wie eine heiße Herdplatte. Es ist eine Verschwörung, die bis in die Bibliothek hineinreicht. Ich sehe mir die Titel noch einmal durch, hektisch, dabei schlage ich mit dem Zeigefinger auf *Pfeil unten* wie auf eine Morsetaste. *SOS!* Es sind allesamt ältere Bücher, bis auf eines, von dem ein weiteres Exemplar in der Präsenzbibliothek verfügbar ist: *Gabor Demeter, Mein Leben.*

Weg, hau ab, ist meine erster Gedanke. Aber ich sitze alleine an Frau Schlehbuschs Rechner, es ist Nacht, und ich bin in diesen gottverdammten Bau eingesperrt. Kein Weg hinaus, erst morgen früh, wenn ich bis dahin durchkomme.

In meinem Hirn ist ein Gedankenstummel, der mich an etwas erinnern will. Aber in Panik fällt mir nichts ein. Wieder kriecht dieser innere Frost in mir hoch, ich friere, beiße aber die Zähne aufeinander. Wenn ich dem freien Lauf lasse, wird meine Angst hemmungslos. Was tun? E-Mail! Ich starte das Programm, gebe Namen und Server meines E-Mails Kontos ein und versuche Bärloch trotz der zittrig-abhackten Sätze, die mir nur noch gelingen, zu schildern, was ich gefunden habe. Ich schreibe, er solle mir rasch eine Bestätigung schicken, daß er meine Nachricht erhalten habe. Es wäre ein beruhigendes Gefühl, zu wissen, daß jemand draußen am Rechner sitzt und meine Schritte mit verfolgt. Eine Weile lang starre ich auf den Bildschirm und warte auf das erlösende *Ping!*, mit dem das Eintreffen einer Nachricht angekündigt wird. Nichts. Nervös wippe ich mit beiden Beinen. Als ich aufhöre, spürte ich einen solchen Druck auf der Blase, daß ich sofort auf die Toilette gehe. Ich wasche mir die Hände und sehe mich im Spiegel an. Meine Mutter liebte es, solche Situationen mit leicht abgewandelten Klassikerworten zu bezeichnen. Wenn Vater in Unterhosen dastand, rief sie: Heinrich, mir graust vor dir. Zu mir würde sie jetzt sagen: Was grinsest du mir hohler Schädel her? Ich bin in fürchterlicher Verfassung. Die Beule auf meinem Kopf scheint sich zu einer dauerhaften Aufwerfung verknöchern zu wollen. Sie ist zu einem harten, spitzen Höcker geworden, dessen Wellen sich beim Tasten wie der Schwanz einer Echse anfühlen. Nicht genug damit, habe ich mich auch noch selbst verstümmelt.

Heute nachmittag dachte ich, es würde mir guttun, mich etwas zu pflegen und zu entspannen, bevor ich in die Bibliothek zurückkehrte, um mir noch eine Nacht um die Ohren zu schlagen. Also ging ich wieder zu Helga und gönnte mir den ganzen Komfort, den ihr Haus zu bieten hat. Ich drehte die Heizung auf, ließ mir eine Badewanne ein, gab Hopfenextrakt dazu, um mich zu beruhigen, wusch die Haare, massierte mir eine Kokosemulsion in die Kopfhaut, rieb mich hinterher mit Rosenöl ein und hätte mir auch weiteres verabreicht, wenn es noch irgend etwas in Helgas Badezimmer gegeben hätte. Zum Abschluß dieser Regeneration wollte ich mich sorgfältig Basieren. Helga hat eines dieser aufklappbaren Rasiermesser im Badezimmerschrank, wie es Friseure in Italien bis vor kurzem noch benutzten. Es wurde an einem Lederband geschärft, das an der Wand hing. Ich weiß im Prinzip, wie es geht, und habe die Rasur im Gesicht gut hinbekommen. Am Hals wurde ich dann nachlässig, schabte einfach roh von unten nach oben. Als ich mich dann mit Rasierwasser einrieb, traten schmerzhafte, blutige Striemen hervor. Kurze Zeit später sah es aus, als hätte ich vergeblich und mit unzureichenden Mitteln versucht, mich aufzuhängen. Um meine Wunden zu verdecken, hatte ich einen Pullover mit hohem Rollkragen angezogen, der die überempfindlichen Stellen weiter reizte und den gesamten Hals flammend rot werden ließ. Andere bleiben in Krisensituation ernst und gefaßt, bei mir gerät alles aus dem Lot, und die äußerliche Verunstaltung stellt mein inneres Chaos dar.

Gedankenflucht! Dabei ist schon längst klar, was jetzt ansteht. Endlich gehe ich zu den Regalen der Präsenzbibliothek hinüber. Ich tue, was ich früher schon getan habe, wenn ich alleine in den Keller mußte und Angst hatte: Ich pfiff. *Ti amo*, eine einfache und eingängige Melodie, die ich auch in dieser Situation noch zustande bringe. Hier bin ich richtig, Abteilung Geschichte, Buchstabe *D* wie *Demeter*. Es ist nicht schwer zu finden, da steht es: *Mein Leben*. Ich ziehe das Buch heraus und blättere es durch. An ihm ist nichts zu entdecken. Ein schön gebundenes Buch, neu und sauber. Aber jetzt, wo ich dieses Buch in Händen habe, befühle und betaste, kommt eine Erinnerung aus einer ganz anderen Schicht meines Gedächtnisses zurück. Es sind sieben Bücher gewesen, die ich zurückgebracht habe! Ich sehe das letzte der sieben vor mir, so deutlich, daß ich mich selbst noch einmal beobachten kann, wie ich es aus meiner Tasche heraus auf die Rückgabetheke lege: *Sergej Netschajew, Katechismus eines Revolutionärs*!

Ich renne zum Rechner zurück, hacke den Titel in die Tasten und klopfe *Return* wie mit dem Hammer. Es ist nicht entliehen, statt dessen wird die Meldung *In Buchpflege!* am Bildschirm ausgegeben. Darüber hat Frau Schlehbusch gestern nachmittag geredet. Das Buch kann dann nur bei ihr oder in der hauseigenen Binderei sein. Ich durchsuche ihren Schreibtisch. Darunter geschoben steht die graue Plastikbox, die ich gestern bei ihr gesehen habe. Ich ziehe sie hervor und sehe die Bücher durch. Tatsächlich, da ist es! Oben steckt ein Zettel mit dem Hinweis *Verschmiert!*

Kein Frage, es ist das Exemplar, das Jakob gehabt hat, denn auch bei Leihbüchern konnte er sich nicht enthalten, mit feinem Bleistift Anmerkungen zu machen. Ich lasse die Seiten sacht durch die Finger gleiten, damit sich die meistgelesenen Stellen selbst aufschlugen. Etwa in der Mitte klappt eine Seite auf. *Wir widmen uns ausschließlich der Zerstörung der herrschenden Gesellschaftsordnung. Um den Aufbau einer neuen kümmern wir uns nicht. Das ist Sache derer, die nach uns kommen.* Dorthin hat Jakob eine längere Notiz geschrieben. Ich knipse das Lämpchen an. *Horst Brill* steht da, dazu eine Handynummer. *Ping!* macht der Rechner, aber das ist mir jetzt egal.

Brills Handynummer! Was heißt das denn?

Das heißt doch, daß Brill Jakob gekannt hat, bevor er umgebracht worden ist. Daß die beiden schon früher in Kontakt waren. Daraus folgt?

16. Der Muränenbiss

Brill tänzelte durchs Büro. Der Tag war gut, der Abend würde noch besser werden. Wehowsky musterte ihn skeptisch über seine Akten hinweg.

– Wo essen wir heute, Weho? fragte Brill. Kantine?

– Keine Lust.

Wehowsky schüttelte den Kopf.

– Augustiner?

– Augustiner, nickte Wehowsky.

Beide traten aus dem Präsidium heraus, Wehowsky im Mantel, Brill im Sacco. Er fror nie. Auch im Herbst trug er T-Shirts. Sie gingen durch die Ettstraße in die Fußgängerzone. Vor einem Zeitschriftenladen faßte Brill Wehowskys Arm.

– Moment mal, ja?

Brill ging hinein und kaufte sich ein Computermagazin.

– Immer noch Lotto? fragte Wehowsky spöttisch.

Brill schüttelte den Kopf.

– Kannst du vergessen.

– Bekehrt von der Statistik?

– Ach was. Weho, ich gebe dir einen Tip fürs Leben: Schon mal was von Muränen gehört? Raubfische, die bis zu drei Meter lang werden und ein Riesenmaul haben. Die liegen auf der Lauer und warten mit viel Geduld, bis was vorbeischwimmt. Beute! In der Ruhe liegt die Kraft, verstehst du? Kommt was, packen sie zu. Unfehlbar. Ist auch noch giftig so ein Biß. Und so eine Muräne hat eines raus, schreib dir das hinter die Ohren, Weho: Chancen kriegst du nicht massenweise zugeteilt, nur ein paar. Und wenn du eine hast, darfst du dich nicht verzetteln. Das Glück läßt sich nicht überstrapazieren.

Ein paar Schüsse hast du frei, dann nehmen sie dir die Flinte wieder ab. Und momentan bin ich am Drücker.

– Wovon redest du eigentlich?

Brill zuckte die Achseln, grinste.

– Riesending. Wirst schon sehen.

Damals in Herrnsberg, als Brill Bärloch wegen Karmann anbaggerte, hatte er den Eindruck, daß da was aufblitzte. Der Alte reagierte, rückte aber nicht heraus mit der Sprache. Brill war sicher, daß Bärloch bluffte. Der wußte doch etwas! Die Lösung lag in PIOS. Leicht gesagt! PIOS war als Gesamtdatei inzwischen zerschlagen. Natürlich hatte man die Daten nicht gelöscht, ein unsinniges und überflüssiges Harakiri, sondern man hatte heftigem politischen Druck widerstanden und die Informationen über die Jahre gebracht. Aber man hatte PIOS in kleinere Teile zerlegt und diese in andere Systeme überführt. Das würde sich nachvollziehen lassen, dachte Brill. Immer wieder startete Brill in verschiedene Richtungen Anfragen. Ohne Ergebnis. Bis er über ein Archivband auf BEFA stieß und von dort aus die Quelle vollständig erschließen konnte. Hier schälte sich fast umstandslos Jakob Amon als Verdächtiger heraus. Bei seinen Recherchen in anderen Systemen ergab sich, daß alles auf Amon paßte. Warum war er nicht verhört worden? Waren die Kollegen denn damals blind und taub gewesen? Brill überlegte. Eines war klar, bei dieser Sachlage war es vollkommen deplaziert, nun den Finger zu heben und zu sagen: Leute, ich hab ihn! Wenn heute einer kam und offenbaren wollte, wie Kennedy wirklich umgekommen war, verbreitete der nur eine von vielen krausen Verschwörungstheorien, die keiner glauben wollte, auch wenn das alles lautere Wahrheit war. Vor fünfzehn Jahren hätten solche Erkenntnisse über den Karmann-Mord gut gepaßt. Aber heute? Außerdem: Wenn der Sachverhalt so offen zutage lag, dann gab es mit Sicherheit massive politische Gründe, den Mörder nicht zu fassen. Amon ein Agent? Womöglich war die Tat Teil eines größeren Komplotts, und man machte einen Riesenfehler, wenn man das aufdeckte. Letztlich waren solche Fälle immer ganz einfach. Irgend jemand hatte genug Macht, das Augenscheinliche zu verschleiern. Die Mafia zum Beispiel. Einer störte, wußte zuviel oder sonst was. Weg mit ihm! Oder die CIA. Die drehte auch solche Dinger. Und die Öffentlichkeit glaubte es nicht, weil sich alle darauf beriefen, daß die so was nicht machen könnten. Eine Regierungsinstitution und letztlich demokratisch. Ach was, Scheiße, natürlich machten die alles genau so direkt, wie es aussah: Sie schickten einen *hit man* los, um den Typen wegzublasen, wenn er störte. Fall erledigt! Es galt, so dachte Brill, klug und umsichtig vorzugehen. Natürlich würde auch er, wenn es angezeigt war, die Schnauze halten, aber erst dann, wenn er an der Kasse vorbeigekommen war, um sich dafür auszahlen zu lassen. Er würde mitmachen, wenn man ihn entsprechend abfand. Genau so mußte das Ding angepackt werden. Erst mal sondieren.

Nach der Arbeit trainierte Brill. Als er dann unter der Dusche stand, war er mit dem Gang seiner Überlegungen hochzufrieden. Bei Amon mal vorbeischauen, einen Stein ins Wasser werfen: Hallo, Freunde, mein Name ist Brill, ich bin jetzt auch mit von der Partie. Genau so, cool und ohne Streß. Beflügelt von seinen Gedanken, hatte Brill soviel *Northern Breeze* aus der Flasche gedrückt, daß der Seifenschaum unter seinen Achselhöhlen schmatzte. Er brauste sich kalt ab und rieb sich mit seinem Handtuch energisch so trocken, daß sich sein Haut rötete. Er schlüpfte in die graue Hose, sein gewohntes Futteral, und zog den Gürtel fest. Klopfte sich nun noch Parfüm unter die Achseln. Als er mit den Stiefelabsätzen über den Boden nagelte, war ihm, als würde ein Riff auf hartgespannten Stahlsaiten angerissen.

Zwei Stunden später stand Brill bei Jakob an der Türe und roch immer noch gut. Nach *Fahrenheit*.

18. Licht!

Ein Lichtkegel erfaßt mich.

– Geben Sie mir das Buch!

Brill steht hinter mir. Ich drehe mich um. Seine Taschenlampe blendet mich. Ich gebe ihm das Buch. Was soll ich sonst tun?

– Sie haben Jakob gekannt?

Brill sagt kein Wort, er blättert zu der Stelle, die ich aufgeschlagen habe und reißt mit einem Ruck die Seite heraus. Er faltet sie sorgfältig, zweimal, als wolle er sie zur Ablage in einen Umschlag stecken, und schiebt sie dann in die Brusttasche seiner Lederjacke.

Bei Unglücksfällen ist es immer so: Zunächst beschleunigen sich die Ereignisse, man verliert die Kontrolle, es ist zu spät, der Zusammenstoß wird unvermeidlich und plötzlich verlangsamt sich das Geschehen. Alles ist dann ruhig und klar. Damals war es ein schwarzes Golf-Cabrio, eine etwa dreißig Jahre alte Frau saß darin, weißer Rollkragenpullover, grüner Anorak. Unsere Blicke trafen sich. Ihre Augen waren weit aufgerissen. Dann krachte es. Jetzt ist es Brill.

Eben wollte ich noch eine Frage stellen, aber wozu, wenn ich die Antwort schon weiß? Brills Lederblouson ist ballonartig aufgebläht, sein Oberkörper scheint riesenhaft und mächtig, ein blaues Hemd schaut heraus, er trägt eine graue Hose und schwarze Stiefel. Beides erkenne ich wieder.

19. Worst case

Bärloch fühlte sich erschöpft, nachdem er den Hörer aufgelegt hatte. Mit Amons Tod war nichts mehr offen. Der letzte Ordner war zu schließen, alles beglichen. Wie die meisten Fälle war auch dieser mit einem Kreuzzeichen abzulegen. All das war nun Geschichte. Bärloch seufzte. Übrig blieben ein Leichenberg, er selbst und *König Etzels* Klage, als er die Toten im Blut liegen sah. Bärloch war weinerlich und selbstmitleidig zumute.

Resigniert zuckte er die Achseln. Nahtlos fügte sich diese Stimmung in den Abschied von Herrnsberg ein. Kisten türmten sich in unübersehbarer Menge vor ihm. Das ganze Haus war zugebaut. Seine Übersiedlung nach Köln in seine neue Wohnung war ein Unternehmen wie der Auszug aus Ägypten. Wenigstens war es ihm gelungen, das Haus zu vermieten. Ein Offizier mit Familie hatte zugegriffen, immerhin eine Lösung für drei Jahre. Lena war gekommen, um packen zu helfen. Der ganze Krempel mußte hier raus. Ein Teil ging nach Köln, der größere Teil sollte in die Garage verfrachtet werden, die Bärloch behalten hatte. Ein bunkerartiger Bau aus dickem Stahlbeton, in dem seine Habseligkeiten auch einen Atomschlag überleben würden.

Bärloch ging in das Arbeitszimmer. Er hatte Lena verboten, dort irgend etwas anzufassen. Sie hatte es dennoch getan. O Gott! Aus einer der Kisten ragten *Horny tits I* heraus. Auch deswegen hatte er das selbst erledigen wollen. Was, wenn Vera dergleichen in die Hände bekam? Sein bislang, wie er fand, makelloses Bild würde in Mitleidenschaft gezogen. Sein Kredit als kultivierter älterer Herr wäre verspielt, auch er ein Bock wie alle anderen. Wo waren die restlichen Hefte? *Horny tits II* und so weiter? Bärloch leerte die ganze Kiste noch einmal aus und durchsuchte jeden Ordner. Wohin damit? Sie loszuwerden, war so schwierig, wie sich einer Leiche zu entledigen. Man durfte keine Spuren hinterlassen, die sich zurückverfolgen ließen. In den Reißwolf und dann zum Papierabfall! Bärloch packte die Kiste mit dem Reißwolf aus, stellte ihn an und schob ein Heft nach dem anderen hinein. Bunte, fleisch- und schamhaargemusterte Luftschlangen drehten sich in den bereitgestellten Plastiksack. Nichts mehr zu erkennen, in dieser Form konnte das eine beliebige Illustrierte gewesen sein.

Alles zerschnitzelt, das war geschafft, trotzdem schade drum. Am Anfang waren das Sauereien, die er selbst widerlich fand, wenn er dazu nicht in der Stimmung war. Dann hatte er sich an diese Bilder gewöhnt, sie waren ihm vertraut, und letztlich waren es immer wieder dieselben, die ihn erregten. Deshalb kam es ihm so vor, als hätte er sein Familienalbum vernichtet. Man kannte sich, wußte, was man aneinander hatte, und hatte Stunden erlebt wie kaum mit sonst jemandem.

Brill! Er hatte Marco Sentenza vorhin am Telephon zugesichert, Brill ins Bild zu setzen. Schließlich hatte er ihn aufgefordert, mit seinen Recherchen in der Bibliothek fortzufahren, und hatte ihm für seinen Bibliotheksbesuch Rückendeckung versprochen. Das war das Alter: dieses unbeholfene Stolpern von Aufgabe zu Aufgabe und bei keiner Erledigung über den Tellerrand zur nächsten blicken zu können! Am besten war es, gleich mit ihm zu sprechen, um die Sache hinter sich zu bringen. Morgen früh kam der Möbelwagen. Dann ging es los. Telephon, Adresse? Brill hatte bei seinem Besuch im April eine Visitenkarte dagelassen. Welche Kiste? Er wühlte herum, bis er endlich das Kästchen mit den Karten herausziehen konnte.

Bärloch setzte sich auf die Kiste und überlegte. Brill hatte sich angelegentlich nach Karmann erkundigt. Jetzt bearbeite er den Fall Amon, hatte Sentenza gesagt. Zufall? Hatte Brill womöglich herausgefunden, daß er Amon deckte? Bärloch fühlte sich mulmig. Besser war es, diese Unsicherheiten auszuräumen. Kipfel! Herbert Kipfel arbeitete noch immer für die Behörde. Sein Wissen über das polizeiliche Informationssystem war über die Jahre gewachsen und unverzichtbar geworden. Man hatte dem ehemaligen Freiberufler den Ornat eines Beamten verliehen. Heute saß er in Wiesbaden und administrierte das Netz. Wo war, gottverdammt, das schwarze Telephonbuch? Wieder kippte Bärloch Kisten aus, bis er endlich das gesuchte Verzeichnis zutage förderte. Er schnaufte asthmatisch, aber als er Kipfel am Apparat hatte, kam er ohne Umschweife zur Sache.

– Herbert, du mußt mir helfen. Es hat damals in PIOS Ecken gegeben, die hätten besser in den Giftschrank gehört. Du weißt schon.

Kipfel blieb vorsichtig. Er sagte gar nichts.

– Arbeitet ihr noch mit *Log-Files*?

– In gewisser Weise schon, erwiderte Kipfel staatsmännisch.

– Verdammt, Herbert, jetzt stell dich nicht so an, ich brauche deine Hilfe, brach es aus Bärloch heraus.

– Vielleicht sagst du mir einfach mal, worum es geht.

– Kannst du feststellen, wer welche Informationen bei euch abgerufen hat.

– Kommt darauf an, um welche Bereiche es geht.

– BEFA neunzehnhundertvierundachtzig, preßte Bärloch zwischen den Zähnen hervor und dachte, rück die Daten endlich raus, du arroganter Schrauber.

Durchs Telephon hörte Bärloch das Klackern der Tasten von Kipfels Keyboard. Pause, dann erneutes Klackern.

– Zugriffszeitraum?

– Von April dieses Jahres bis heute.

Wieder Klackern. Dann hörte Bärloch einen einzelnen kräftigen Tastenanschlag und dachte: *Return*. Jetzt hat er es am Bildschirm.

– Was ist, Herbert, soll ich einen Tusch blasen?

– Und nun, fragte Kipfel.

– Kannst du mir die Datei auf mein Fax schicken?

– Niemals! Bist du wahnsinnig!

– Was habe ich von deinem Gefallen, wenn ich die Information nicht in die Hände bekomme?

– Konrad, es gibt nur einen Nutzer, der in diesem Zeitraum zugegriffen hat: München, Präsidium Ettstraße, *Log in*-Name HB. Alles klar?

– Danke, Herbert.

– Und jetzt, wie verwische ich meine eigenen Spuren?

– Durchputzen, Herbert. Systemwartung gehört doch zu deinen Aufgaben. Bei dieser Gelegenheit kannst du BEFA neunzehnhundertvierundachtzig und den ganzen Rest gleich raussägen. Das Ding sollte eigentlich seit neunzehnhundertfünfundachtzig schon gelöscht sein. Hat die Innenministerkonferenz so beschlossen, kannst du mir ruhig glauben. Das sage ich jetzt mal als Bürger.

– Verarschen kann ich mich selber. Ist das ein weiterer Gefallen, den ich dir tun soll?

Bärloch zögerte. Dann sagte er: Ja.

– Konrad, ruf mich nie wieder an, um dergleichen zu erbitten, ja?

Bärloch atmete tief durch, als er aufgelegt hatte. Es war eine Pein, so zu Kreuze kriechen zu müssen. Kipfel war einmal ein kleiner Techniker gewesen, dem er Aufträge verschafft hatte und der dankbar war, daß er ihm ein wenig über die Schulter sehen durfte. Eine Schlange, die er da an seinem Busen genährt hatte. Er ging in die Küche, machte sich einen Kaffee und goß sich ausnahmsweise einen Magenbitter ein. Und jetzt Brill. Der Anruf wurde auf ein Handy umgeleitet.

Brill schrak zusammen. Bärloch war am Telephon. Es gehe um den Fall Amon. Nach Amons Tod hatte er einen solchen Anruf erwartet. Wer auch immer mit Amon unter einer Decke steckte, er würde sich bei ihm, dem ermittelnden Beamten erkundigen, was eigentlich passiert war. Warum? Wie? Da er aber ausblieb, hoffte er, seine Annahme einer Verschwörung würde sich als Hirngespinst erweisen. Ein Vorteil! Je weniger in der Sache herumgebohrt wurde, desto besser. Für den Fall aber, daß sie doch zuträfe und man ihn zur Rechenschaft zöge, hatte er sich Punkt für Punkt eine Argumentation zurechtgelegt, was zu sagen und was zu verschweigen war. Aber jetzt hatte es ihn in jeder Hinsicht zur Unzeit erwischt: Brill hatte sich mit einer Zeitung aufs Klo zurückgezogen. Heute Mittag, als Brill vom Außendienst ins Revier zurückgekommen war, hatte Löw ihm bedeutet, daß er einen Bericht erwarte. Löw, sein Chef, hatte dabei kein Wort gesprochen, sondern ein DIN A4-Format mit dem Finger in die Luft gezeichnet, hatte Schreibbewegungen darauf vollführt, dann auf sich gezeigt und das Ganze mit der rechten Hand auf drei Uhr terminiert. Das war doch Kindergarten, das war keine Kommunikation, sondern ein Abstrafen! Löw sagte immer, er bevorzuge die direkte Art und den damit verbundenen kleinen Dienstweg. Lächerlich! Dieser pfälzische Scheißer machte Menschenführung nach Gutsherrenart, wo heute schon die kleinste Klitsche im Teamgeist geleitet wurde. Aber es half ja nichts, er mußte es runterschlucken und konnte froh sein, wenn sonst nichts war. *Worst case*: Löw hatte Verdacht geschöpft, und die Schlinge zog sich nun zu. Was tun? Alle Möglichkeiten durchdenken!

– Der hat sie doch nicht alle, murmelte Wehowsky in seine Akten hinein.

Mit dieser Bemerkung hatte ihm Wehowsky den Weg gewiesen. Löws Verhalten war ein Affront, ein Schlag in die Magengrube, und ein guter Beamter stellte sich daraufhin erst mal tot. Er war beleidigt: Ich reiß mir hier Tag für Tag den Arsch auf, und dann das! Stell ich die Arbeit eben ein. Bis auf weiteres. Also breitete Brill seine Papiere erst gar nicht auf dem Schreibtisch aus, sondern ging in die Kantine, um sich eine Wurstsemmel zu holen. Dann brühte er sich erst mal Kaffee auf.

– Verstehe ich gut, pflichtete Wehowsky ihm bei.

Nach dem Kaffee hatte Brill das Bedürfnis, sich zu verschanzen, er wollte alleine sein, um in Ruhe nachdenken zu können, wie nun weiter vorzugehen sei. Er nahm sich die Zeitung, stellte die Rufumleitung auf sein Handy ein und setzte sich aufs Klo. Normalerweise war das kein Problem, wenn ein Anruf kam, sagte er: Kleinen Moment, rufe sofort zurück!, oder: Bin gleich da! – ein knapper Satz jedenfalls, und er hatte gezeigt, daß er selbstverständlich immer auf dem Posten und stets erreichbar war.

Aber jetzt Bärloch! Die, die hinter dem vertuschten Karmann-Mord standen, hatten den Alten womöglich vorgeschickt, um ihn auszuhorchen.

– Rufe gleich zurück.

– Geht nicht, dauert nicht lange, sagte Bärloch, wenn Sie das hier bei mir sehen könnten, Brill, ich sitze inmitten von Kisten. Ich ziehe nach Köln. Schon morgen.

– Worum geht's, Chef.

Brill klemmte das Handy zwischen Kopf und Schulter und riß behutsam einige Blatt Klopapier ab.

– Wie kommt es überhaupt, daß Sie den Fall betreuen.

Zwei Schritte vor, ein Schritt zurück: die alte Verhörtaktik. Erst mal signalisieren, daß man alles weiß. Dann wieder eins zurück. Schmoren lassen, den anderen sich in Widersprüche verwickeln lassen. Vorsicht, dachte Brill. Während er sprach, wischte er sich mit langsamen Bewegungen ab. Das Scharren würde durch sein Reden überdeckt werden.

– Zufall, Chef. Wurde bei mir eingefädelt. Ich habe einen anonymen Anruf bekommen, wahrscheinlich aus Amons Haus, wir sollten mal nachsehen, ob da in der Wohnung was passiert sei. Es würde komisch riechen. Ich bin hin, habe ein paar Erkundigungen bei den Nachbarn eingezogen, die wußten nichts. Also habe ich die Türe aufgebrochen, den Toten gefunden, klarer Mord und damit war der Fall bei mir. Ich habe nur weitergemacht, logisch, oder?

– Logisch, pflichtete Bärloch ihm bei. Brill, es gibt da ein Problem.

Draußen wurde die Türe aufgestoßen. Pfeifend betrat jemand das Klo. Verflucht, wenn der sich nebenan hinsetzte. Es hallte in den engen Kabinen. Bloß raus hier! Brill ließ das Papier in die Schüssel fallen.

– Welches denn, sagte er schnell.

– Sentenza hat nicht die Wahrheit gesagt.

Verdammt, ausgerechnet Sentenza! Hatte der ihn erkannt, als er seine Wohnung durchforstet hatte? Brill fühlte, daß sich unter seinen Achselhöhlen Schweiß sammelte.

– Sentenza? Hab mir so was schon gedacht. Was haben Sie mit dem zu tun, Chef?

Der Pfeifende blieb draußen am Pissoir.

– Sentenza hat mich angerufen. Um Hilfe gebeten. Er verfolgt da eine interessante Spur.

– Welche denn?

Das bedeutete Zeitgewinn. Es genügte, bei Bärlochs Schilderungen hm oder aha zu murmeln. Brill stand auf und begann sich zuzuknöpfen. Die Zeitung schob er mit dem Fuß durch den offenen Spalt nach nebenan. Bärloch war ins Reden gekommen und erzählte, was Marco Sentenza vorhatte und daß er ihn ermutigt hatte, in der Bibliothek weiterzusuchen. Brill dichtete mit der Hand die Sprechmuschel vollständig ab und zog die Spülung. Dann klemmte er das Telephon wieder zwischen Kopf und Schulter und ließ sich Wasser über seine Hände rieseln, wusch sich und trocknete sich ab. So, jetzt aber!

– Mal ganz direkt gefragt: Was kann ich denn jetzt für Sie tun?

– Drehen Sie Sentenza keinen Strick aus der Geschichte und passen Sie auf, daß ihm nichts zustößt. Irgend jemand ist hinter ihm her.

– Davon weiß ich nichts, sagte Brill. Es wäre der ganzen Sache förderlich, wenn er selbst mal den Mund aufmachen würde. Was ist denn passiert?

– Seine Wohnung wurde auf den Kopf gestellt.

– Aha! Und warum erfahre ich das nicht? Das muß er mir doch sagen! Und was macht er in der Bibliothek? Ich habe das noch nicht verstanden.

– Vereinfacht gesagt: Er überprüft, wer die Bücher ausgeliehen hat, die Amon gelesen hat.

– Das heißt: Er vergleicht die Ausleihprofile?

– Das trifft den Nagel auf den Kopf.

Brill tastete sich an diese Aussage heran wie an eine schmerzhafte Stelle. Was hieß das denn? Er dachte an den Bücherstapel, den er zu Hause liegen hatte und den er akribisch, aber ohne Resultat, Seite für Seite durchgesehen hatte. Natürlich waren die Verleihdaten gesperrt, aber half das? Vielleicht konnte Sentenza ja doch sehen, wo die Bücher gelandet waren. Oder er schöpfte Verdacht, wenn er nicht an die Daten herankam? Oder hatte gar das fehlende siebte Buch aufgetrieben?

Brill war in die Bibliothek zu Morlock gegangen, hatte ihm seinen Ausweis vorgelegt und gesagt: Ich bearbeite einen Mordfall. Jetzt passen Sie mal auf, Herr Morlock. Wir haben die Vermutung, daß sich in Büchern, die der Tote hier ausgeliehen haben muß, Spuren finden. Fingerabdrücke auf dem Einband, Krümel, Fasern. Sie verstehen?

Morlock nickte. Er zeigte sich beeindruckt.

– So was könnte uns bei der Aufklärung helfen. Könnte! Eine vage Hoffnung, aber immerhin. Stellen wir doch erst mal fest, ob auch tatsächlich alle Bücher wieder bei Ihnen gelandet sind.

– Kein Problem, sagte Morlock. Name, Adresse?

Morlocks Finger sausten flink über die Tastatur. Er spurte. Das war jetzt aber auch mal ein Fall, der nicht jeden Tag vorkam.

– Ja, soweit ich sehen kann: alles da!

Diese Ratte! dachte Brill. Ich setze Himmel und Hölle in Bewegung, um diese Bücher zu finden, lasse drei Mann Amons Bibliothek erfassen, damit mir nichts durch die Lappen geht, filze Sentenzas Wohnung, und der hat die Bücher seelenruhig abgeholt und in die Bibliothek zurückgebracht. Wie ist der nur in Amons Wohnung gekommen?

– Ich brauche alle zuletzt entliehenen Bücher. Alle! Können wir verhindern, daß irgend jemand nachvollziehen kann, daß ich sie mitgenommen habe?

Morlock grinste.

– Klar. Kein Problem.

– Ach, Herr Morlock: Bitte Handschuhe anziehen, wenn Sie die Bücher holen, ja?

Wenig später kam Morlock mit den Büchern zurück.
– Eines fehlt.
– Aber das ist doch nicht möglich!
Morlock zuckte die Achseln.
– Buchpflege. Außer Haus, da kann man nichts machen.
– Morgen habe ich das Buch auf dem Tisch! schrie Brill und zog mit dem Stapel unter dem Arm ab.

– Ja, Chef, ich kümmere mich drum.
Bärloch berührte nun noch den empfindlichsten Punkt.
– Daß Amon zu Terroristenkreisen Kontakt hatte, wissen Sie doch, Brill?
– Nein, sagte Brill, kurz und militärisch knapp, auf diese Frage war er vorbereitet. Wir haben diesbezüglich keinerlei Hinweise. Woraus schließen Sie das?
– Er stand mal auf unserer Liste, erwiderte Bärloch zögerlich. Damals jedenfalls.
– Ach so. Nein, von unserer Seite aus ist da kein Zusammenhang herstellbar. Kann ich noch irgendwie behilflich sein?

Schöne Scheiße, murmelte Bärloch, als er aufgelegt hatte. Brill log, das war klar. Und jetzt? Bärloch hatte sich durch Brills Gegenfrage aus dem Konzept bringen lassen. Jetzt lag das Problem wieder bei ihm.

Was lief da eigentlich für ein Ermittlungsverfahren? Bärloch wollte sich vergewissern und wählte kurz entschlossen die Nummer von Brills Dienststelle. Er verlangte den Leiter. Löw kannte Bärloch nur vom Hörensagen, behandelte ihn jedoch wie einen Ehrenpräsidenten. Er verstand zwar nicht, was ihn am Fall Amon interessierte, gab jedoch Auskunft, ohne allerdings Details preiszugeben, und stellte sich wie selbstverständlich vor die Arbeit seiner Leute. Die Sache sei in besten Händen, sagte Löw. Brill, so verteidigte Löw seinen Mann Bärloch gegenüber, Brill habe alles im Griff, er fische die tollsten Sachen aus dem Computer. Aber die Geschichte sei objektiv schwierig, um nicht zu sagen, aussichtslos, es gebe kein Motiv, keine Hinweise, es sei nichts gestohlen worden, die Spurensicherung habe nichts Brauchbares ausfindig machen können. Nur Amons und Brills Fingerabdrücke.

Genau das hatte Bärloch befürchtet.

Brill stand unter Druck, jetzt wurde das Ganze gefährlich. Er mußte Sentenza auftreiben, bevor es zu spät war. Er stürmte in Richtung Büro, hielt noch einmal inne und machte auf dem Absatz kehrt: Erst noch die Sache mit Löw klären. Er klopfte bei ihm an, da Löw jedoch nicht reagierte, betrat er ohne Zuruf das Büro. Löw telephonierte und musterte Brill mit erstaunter Miene, sein Ton war jedoch auf staatsmännisch-moderat gestimmt, daher fertigte er ihn nicht ab, sondern hielt die Hand auf die Muschel und fragte: Was gibt's? Mit dem Bericht heute nachmittag, sagte Brill, werde es nun leider nichts, er habe auswärtige Ermittlungen durchzuführen. Womöglich bis morgen. Schon recht, entgegnete Löw und winkte ihn hinaus, zusammenputzen konnte er ihn nicht, sein Gesprächspartner würde das mitbekommen, dann stünde auch er schlecht da.

Brill ging in sein Büro, holte sein Jackett aus dem Schrank.

– Und Löw? fragte Wehowsky besorgt.

– Ach, der Blitz soll ihn beim Scheißen treffen.

Jetzt stand alles auf dem Spiel, Empfindlichkeiten von Vorgesetzten waren jetzt kein Thema mehr. Unter dem Strich zählte nur noch, daß Brill die Sache mit Jakob falsch angepackt und falsch zu Ende gebracht hatte. Notwehr, logisch, aber unter Umständen, die ihn schwer belasteten. Selbst bei einem Freispruch wäre er das brutale Schwein geblieben, charakterlich für den Polizeidienst ungeeignet. Brill hatte seine Chance nicht genutzt. Jakob hatte ihn verabredungsgemäß angerufen. Er wolle ihn treffen. Brill war in Hochstimmung geraten. Die Dinge hatten sich genau so gefügt, wie er es vorhergesehen hatte: Aufgeräumt fand er sich in Jakobs Wohnung ein. Ein Geschäft galt es abzumachen. Amon allerdings, so schien ihm, war in schlechter Verfassung. Bleich, übernächtigt, unter Medikamenten. Er verhielt sich wie gelähmt, bewegte sich hölzern. Brill gab nicht viel darauf, dachte: weichgekocht. Dann stocherte Jakob herum. Was Brill denn wolle? Geld, Denunziation anderer? Beides habe er nicht zu bieten. Er habe nichts, er wisse nichts. Wie diese Geschichte zu Ende gehe, sagte Brill, entscheide ganz allein er, Amon. Für ihn, Brill, gebe es zwei Versionen, die fast gleich gut seien: Version a sei, daß Amon ihm Hintergründe und Beteiligte der Karmann-Sache offenlege. Eine Antwort auf die simple politische Frage gebe: Wer habe was aus welchem Interesse getan? Oder Version b: Er nehme ihn fest und bringe damit einen lang gesuchten Attentäter hinter Gitter. Beides sei für ihn voll zufriedenstellend, er empfehle jedoch Version a. Brill hatte die Daumen im Hosenbund eingehakt und wartete auf eine Antwort. Jakob, in die Enge getrieben, erwiderte nichts. Brill war selbstgewiß und dachte, er habe nun also den richtigen Ton getroffen und das Seine so zwingend vorgetragen, daß es keine Ausflucht mehr gab. Der Gegner war festgenagelt! Jakob habe, so fügte er an, einen Aufschub von fast fünfzehn Jahren bekommen, eine Galgenfrist, die nun abgelaufen sei. Herr Amon, Sie sind am Ende ihres Wegs angekommen! Die Qual, die sich in Jakobs Gesicht abzeichnete, konnte Brill nicht lesen, er sah nur, daß dieser nach hinten zur Fensterbank griff, wo der Werkzeugkasten stand, mit dem er Regale montiert hatte. Er bekam den Hammer zu fassen und versuchte damit nach Brill zu schlagen. Für den kam diese Wendung vollkommen überraschend, so als habe er Kaffee bestellt und werde nun mit einem Kübel Wasser übergossen. Brill fing Jakobs Arm ab, entriß ihm den Hammer, wandelte Jakobs Schwung bereits zur Ausholbewegung um und zog durch, als habe er es eingeübt. Es krachte, als träfe der Hammer auf splitterndes Holz. Eine zielgerichteter Bewegungsablauf hat Eleganz und Schönheit, hatte sein Tennislehrer gesagt und die perfekt ausgeführte Rückhand gemeint, wenn die Körpermechanik mit den Gesetzen des Instruments und des

Objekts harmoniert. Deshalb war Brill über die Art, wie er den Schlag ausgeführt hatte, tief befriedigt. Dazu hatte er eine Erwiderung gegeben, wie er sie sich schon immer gewünscht hatte: das Echo stärker als sein Ursprung. Dieses Schwein hatte versucht, ihn mit dem Hammer zu töten. Er hatte sich behauptet. Aber es war nicht genug, eine schnurgerade Sache war jetzt schon vollkommen versaut. Der zweite Schlag von rechts war in blinder Wut ausgeführt. Eine Bestrafung, er wollte ihn töten. Aber erst der dritte Schlag, er traf den Fallenden von oben auf die Schädeldecke, brachte Abfuhr und Befriedigung, denn nun lag Jakob zerschmettert im Blut. Es war getan. Schon als er den Hammer sinken ließ, kroch Panik in ihm hoch. Diese Ungeheuerlichkeit war der größte Fehler, den er je hatte begehen können. Jakob zu erschießen, auch von hinten, wäre erträglich und vermittelbar gewesen. Auch Polizisten im Dienst waren nur Menschen, die eine Situation falsch einschätzen konnten. Aber unter keinen Umständen würde sich eine so augenscheinlich zutage getretene Brutalität rechtfertigen lassen. Der erste Schlag – ja, der zweite – vielleicht, der dritte – nie! Er hatte die Kontrolle verloren und versagt. Jetzt hieß es den Arsch hochbinden und irgendwie durchkommen. Von Chance konnte keine Rede mehr sein.

20. Mein Leben

– Sie haben Jakob umgebracht!

Ich wundere mich selbst, daß ich diese Feststellung so klar und unmißverständlich treffen kann.

Brill schaut mich an, als spüre er Mitleid mit mir.

– Warum haben Sie sich eingemischt, Sentenza? Was haben Sie davon? Nichts! Kommen Sie, gehen wir!

Brill deutet hinüber auf Frau Schlehbuschs Rechner, der noch läuft.

– Alles aufräumen und abschließen, ja?

Brill wartet. Ich gehe voraus, er folgt mir auf dem Fuß.

– Was haben Sie mit mir vor?

Ach, blöde Frage! Das ist nun also mein Leben gewesen! In den Vorzimmern herumgestolpert, ohne zum Eigentlichen zu gelangen. Dich lassen sie nie ran, hänselte mich Rolf, mein Jugendfreund, als er die ersten Mädchenbekanntschaften hinter sich hatte. In einem weiteren Sinne galt das auch später. Aber man muß ja auch ran wollen! Diesen unbedingten Drang habe ich nicht. Auch das Nebensächliche hat seinen Reiz, da halte ich es mit meiner kleinen Nichte Julia. Als ich mit ihr im Zoo war und ihr den Löwen zeigte, der, als hätte ich es bestellt, vor dem angelegten Teich stand, seine Mähne schüttelte, den Rachen aufriß und seine tödlichen Hauer bloß legte, wies Julia nach unten aufs Wasser und sagte: O Marco, guck mal, die Entchen!

– Was ich mit Ihnen vorhabe, läßt sich nicht in der Bibliothek erledigen, antwortet Brill. Ende der Durchsage, Debatte überflüssig.

Man hat noch nicht mal das Recht auf einen würdigen Abschluß. Im *Kant* ist ein Mann auf dem Barkocker sitzend an dem Stäbchen erstickt, das einen Rollmops zusammengehalten hatte. Noch schlimmer hat es einen Engländer erwischt, der sich totgelacht hat, als sich die *Goodies* nach einer Dudelsacknummer mit Blutwürsten beworfen haben.

– Schluß machen, mahnt Brill.

Er steht an der Glastüre und schaut nach draußen. Alles ist dunkel und ruhig. Da er mir den Rücken zuwendet, hole ich die E-Mail her, die vorher eingetroffen ist. Es ist eine Nachricht von Bärloch: Alles deutet auf Brill hin. Nehmen Sie sich in acht. Ich drehe mich um, Brill steht wie eine Statue. Zu spät, schreibe ich, er ist bereits da, und füge die Zeichenkombination :-(für Absender ist traurig an. Dann schicke ich die Nachricht zurück. Nun fahre ich den Rechner ordnungsgemäß herunter. Off! Meine Programme sind noch nicht beendet, wenn ich nun ausgeschaltet werde. Seltsamerweise steht Brill immer noch an der Fensterscheibe, und erst jetzt sehe ich, daß er beide Hände oben hat und gegen die Scheibe gestützt hält. Albernerweise denke ich zuerst daran, daß er bis zehn zählen und nun gleich: Ich komme! rufen wird. Mein zweiter Eindruck ist, Brill denkt nach, er ist in sich gegangen. Endlich bemerke ich, daß draußen auf der anderen Seite Inspektor Wehowsky mit einer Pistole in der Hand steht. Auch andere sind jetzt zu erkennen. Brill hat resigniert. Nun geht das Licht im Gang an und erleuchtet die Ausleihe. Der alte Mann im Hintergrund muß Bärloch sein.

Frühmorgens komme ich nach Hause. Ich schlafe bis zum Nachmittag des nächsten Tages. Zuerst werde ich Helga anrufen, abends werde ich wieder Filme einlegen: Roberto Benigni, *Das Leben ist schön*. Und jetzt sitze ich beim Frühstück, trinke Tee, gucke dabei in diese alberne Tasse, von deren Boden mich eine Kuh anschaut, esse Toast mit Honig und lese Zeitung, wie ich es schon immer gemacht habe. Trotzdem ist alles nicht mehr wie früher. Meine Perspektive hat sich verändert, ich sehe alles von seiner guten Seite. Das Leben ist schön. Ich kann das so sagen, weil ich knapp am Tod vorbeigeschrammt bin.

Geblieben sind Probleme minderer Art. Mein Zimmer ist immer noch verwüstet. Aber das stört mich nicht, ich bin entschlossen, auch daraus das Beste zu machen. Es ist eine Chance, aufzuräumen und eine neue Ordnung in mein Leben zu bringen, als Enddreißiger hat man dazu noch eine reelle Chance. Ich räume mein Frühstücksgeschirr beiseite. Ich hole mir eine Rolle mit großen blauen Plastiksäcken aus dem Schrank. Ich werde mich bei dieser Gelegenheit von allem Überflüssigem trennen. Nun gehe ich hinüber in mein Zimmer. Am Boden ein Papierberg, obenauf liegen die herausgerissenen Schubladen. Wo man dieses Chaos zu lichten beginnt, ist egal. Aber schon nach kurzer Zeit fische ich aus einem Stapel Jakobs verloren geglaubtes Manuskript. *Attentat.*

Inhalt

I. Damals 9
1. Fliegende Babyputen 11
2. Volksgefängnis 18
3. Arschkarte 27
4. Rote Fahnen 32
5. Scherbenhaufen 40
6. We begin bombing 45
7. Verkehrt herum 48
8. Alexandrowitsch Solowjew 50

II. Heute 55
1. Die Bibliothek des Attentäters I 59
2. Meyers Novellen 67
3. Gedächtnisphotographien I 76
4. Am Obersalzberg I 84
5. Ratten I 89
6. Am Obersalzberg II 97
7. Gedächtnisphotographien II 109
8. Ratten II 121
9. Am Obersalzberg III 126
10. Haßkappe 134
11. Sperrendes Gut 145
12. Viel Glück, Mann! 153
13. Hammerschläge 166
14. Das Manuskript 173
15. Die Bibliothek des Attentäters II 182
16. Access denied 190
17. Der Muränenbiß 198
18. Licht! 201
19. Worst case 202
20. Mein Leben 214

Umschlaggestaltung: Michel Keller, München,
unter Verwendung eines Fotos von Gerry Johansson, photonica
Satz: Frese, München
Druck und Bindung: Clausen & Bosse, Leck
ISBN 3-88897-278-7
1 2 3 4 5 • 04 03 02 01